PABLO NERUDA

Résidence sur la terre

TRADUCTION NOUVELLE
DE GUY SUARÈS

PRÉFACE
DE JULIO CORTAZAR

Titre original :

RESIDENCIA EN LA TIERRA

Lettre ouverte

Cher Pablo, quelle chance que les rituels de l'édition m'aient offert ce courrier vertigineux, cette boîte à lettres à mille facettes où une lettre pour toi va en être une pour tant d'autres. Je déteste les prologues et les introductions mais tu vois, il arrive parfois que les coutumes et les routines accèdent à une vie nouvelle, comme le geste mécanique de serrer la main (est-ce vrai qu'il est né du sentiment contraire, pour prouver qu'on ne cachait pas une dague entre ses doigts?) peut devenir rencontre et communion, dialogue de la peau qui se reconnaît et se comprend sous les paroles, poésie du toucher primordial, signe de l'amitié entre les hommes. Et il arrive aussi qu'après les libations propitiatoires, qu'en bon Chilien tu comprendras sans mal, je t'écrive ces quelques lignes pour essayer ce carambolage, te faire une lettre qui serve en même temps aux lecteurs qui vont entrer dans ce livre par la voie du français. J'ai toujours aimé compliquer les règles du jeu parce que le linéaire et le direct sont monotones; tu admettras, vieux frère, qu'il est à la fois difficile et exaltant de te parler tout en parlant à des lecteurs qui, sauf exception, ne connaissent rien des rivages du Pacifique et n'ont jamais vu les étoiles au-dessus de Temuco ou de l'Ile Noire, et dans ces conditions, oui dans ces conditions ça vaut la peine d'écrire à partir d'une zone où la main et le mot jouent au billard chacun pour leur propre compte. Et maintenant il va se passer une chose et c'est que lorsque je dirai Pablo, je dirai aussi Paul et Christiane et Robert, tous les prénoms de ceux qui lisent ma lettre, le beau congrès invisible, toi au Chili ou à Paris, moi à Paris ou à Vienne (en fait à Vienne, Pablo, mais savoir si cette lettre je ne la finirai pas à Lima ou dans un train qui roule au large de la nuit, nous avons du temps devant nous et de la soif, nous avons des pages et du vin) et Christiane à Poitiers, Jean à Limoges, Claude à Paris, tous unis hors du temps et de l'espace, de par cette opération si vieille et si douce d'écrire à partir de l'amour et de l'espoir, parce que contre vents et marées l'homme défend et sauve un territoire commun, une zone de rencontre où merveilleusement nous renonçons à la défense et au secret, où un poème, une peinture, un solo de trompette sont aussi importants que la rencontre du corps de l'homme et de la femme, que le cri des hirondelles aux dernières lumières du jour, que le frémissement d'un champ de blé que j'ai tellement aimé là-bas dans l'île de Tenglo, en 42, la première fois que j'ai vu ton Chili et me suis promené dans ses montagnes et dans ses îles et, sur une place de Valparaiso, un soir de chaleur et de tristesse, j'ai lu assis sur un banc ton Espagne au cœur *qui devait par la suite faire partie de* Troisième Résidence *mais qui était alors un livre de grand format bien mal commode à trimbaler sauf lorsqu'il avait atteint la poitrine, cette région cachée et crépusculaire où vont peut-être bien mourir les éléphants et les oiseaux.*

Écoute, Pablo, je sais parfaitement, je l'ai lu trente-six fois, que ton cheminement d'homme et de poète t'a éloigné des deux premières Résidences, *que tu les as reniées d'un geste que tu as cru nécessaire et que ta poésie ultérieure, ce grand chant général qui continue à sourdre de ta vie compte plus qu'elles dans ton opinion de combattant et de Sud-Américain. Parfait, vieux frère, ce n'est pas moi qui irai te chercher noise sur les raisons de ces partages ; il est juste sans doute que la quête puis la rencontre d'un contact* avec ton peuple et avec tous les autres peuples t'éloigne de ces poèmes. Nous vivons un temps furieux, parmi les coups d'aile nucléaires et les génocides froidement orchestrés à partir d'ordinateurs et de pentagones ; plus que jamais le poète est nu à l'aube de chaque jour, mais être nu le rend plus libre, ou alors il n'est qu'un bouffon lamentable qui s'entête à porter l'habit d'un humanisme mis en lambeaux par une longue marche, par des rizières en flammes, par tous ces champs de canne à sucre contre la nuit du dollar.

Et c'est pourquoi Pablo Neruda regarde en arrière, il se regarde comme nous avons aussi appris à nous regarder et il renie son ancien temps ptolémaïque, l'œuvre écrite qui lentement, merveilleusement, tourna pendant des années autour d'un moi qui n'avait pas encore accédé au toi, un moi antérieur à l'intuition copernicienne, antérieur à l'appel révolutionnaire universel qui a jeté tant de nous hors de nous-mêmes, en une seconde naissance atroce et nécessaire « parmi les cris, les larmes, les excréments ». Tu parles si on le sait, Pablo, tu parles si les premières Résidences appartiennent au passé, aux derniers degrés avant le saut qui règle son compte à l'individualisme égocentrique et nous fait accéder à une autre façon de vivre homme, immergé, poreux, relié, l'homme qui interroge et combat pour trouver les réponses qui l'intégreront à son milieu, l'homme qui fait face à la circonstance pour la laver du mensonge à grandes rafales de verbe et plus seulement pour lui bien que toujours pour lui, et plus seulement le poème bien que toujours le poème : une autre poésie est née à notre époque, son nom est révolution et son livre est fait de mains et de vent, de lectures debout et non sur canapé, de rencontres en pleine rue, la poésie, elle, ne change pas, et elle est difficile ou facile, et elle se chante ou se tait, mais ce qui compte pour nous a cessé d'être le privilège des mandarins de tout pays, rien ne pourra jamais changer le fait poétique, cet affrontement avec le monde mais la *solitude du poète n'est plus celle d'après un schéma centripète, sa solitude se sait historique et non plus ontologique, le poème naît pour être plus qu'un poème, pierre dans l'édifice d'une future humanité désaliénée, marteau ou poignée de main dans l'atelier multitudinaire où lentement commence à se forger une autre image de l'homme sur la planète.*

Alors, Pablo, comment pourrait-on te refuser le droit de nier ces poèmes anciens, ces créatures « nées d'un long refus » comme tu dis dans Saveur? *Mais laisse-moi parler quand même, laisse-moi dire à Christiane, à Jean, à Robert, à tous ceux qui entrent pour la première fois et par une autre langue dans ta poésie, tant de choses que tu tais par modestie. Si les lecteurs te trouvent dans* Troisième Résidence *tel que tu t'es bâti et voulu, tel que tu continues d'être au terme de tant de livres fabuleux, moi je te dis et je leur dis que les poèmes des deux premières* Résidences *contiennent toute ta poésie future et te contiennent déjà, que tu le croies ou non, en tant que poète révolutionnaire. Nous vivons un temps où la prostitution du mot peut devenir une arme insidieuse et terrible, et c'est ainsi que des termes comme compromis, contenu et autres consignes du même acabit, deviennent mortelles si on les emploie à tort et à travers, si une vision pragmatique de la poésie les remplit de menace et d'intransigeance. J'en ai par-dessus la tête, Pablo, de ce* ranking *latino-américain de la poésie et de la prose où les ralliements les plus évidents — démagogie, indigénismes, simplismes, tout ce que tu voudras — passent pour être un indice révolutionnaire, un sauf-conduit pour les bonnes consciences et les consécrations. Sur ce plan-là, renier les premières* Résidences *parce qu'elles ne s'insèrent pas explicitement en leur temps historique c'est oublier que c'est par elles et par elles seules, grâce à cette terrible et merveilleuse expérience poétique d'où sont sortis peu à peu ces poèmes, que tu as pu sortir de toi-même, entrer dans le domaine de l'autre armé de pied en cap, lucide et sûr de toi, et que c'est seulement au terme de cette longue, lente explo-*

ration de tes frontières que tu as atteint la maturité qui allait nous donner le Chant Général *et bien d'autres œuvres. Je touche ici un point grave, une faille bien trop fréquente dans la conception révolutionnaire de la littérature : l'oubli naïf quand ce n'est pas la négation perverse de cette progression laborieuse de l'écrivain en lui-même et dans le maniement de son instrument de travail, les étapes innombrables de ce voyage qui finira par embrasser magellaniquement le monde et fera du voyageur du mot un capitaine d'idées, un meneur d'hommes à partir du verbe, un révolutionnaire par chacun de ses poèmes qui seront acte de vie, geste politique, coup de feu contre l'ennemi. Pablo, il est sans doute écrit (cf. Mao) que les intellectuels devront tôt ou tard disparaître pour céder la place à une autre façon collective d'utiliser la sensibilité et l'intelligence. D'accord, chaque chose a son temps, et avant tout il y a la justice et l'entente définitive et planétaire entre les hommes. Mais si je dis justice — parce que c'est pour moi la pierre de feu de la révolution, comment accepter alors que l'on nie ou que l'on ignore que des poètes comme toi ne se sont pas faits en un jour, que leur progression fut lente, pénible et contradictoire parce qu'écrire est lent, pénible et contradictoire ; comment accepter que des poètes, souvent plus iconoclastes par naïveté que par conviction, s'approprient le drapeau révolutionnaire en brandissant les idées à la mode, les rhétoriques primaires qui dressent les masses dans les stades et le chœur des grenouilles journalistiques. Je le répète, un jour viendra peut-être où l'homme pourra de plein droit se passer des intellectuels que nous avons connus et avons été ; mais jusqu'à ce jour, compagnons révolutionnaires, que personne ne vienne détruire avant de savoir comment on construit, que personne ne croie que la simple volonté révolutionnaire puisse remplacer sans dommage cette longue patience amoureuse qui donne les poèmes de ce livre, qui fit de Vallejo, et de Huidobro et de Neruda les pères d'une parole capable d'attaquer l'ordre ancien et de nous ouvrir grande la porte de ce temps présent qui nous appartient davantage.*

Et c'est à cause de tout cela, Pablo, que toi et les autres pouvez bien dire tout ce que vous voudrez de tes premières Résidences. *Voilà longtemps déjà que je répète monotonement que nous n'arriverons pas à nouer le destin auquel nous avons droit — tellement au-dessus des aliénations et des impérialismes actuels — si nous ne commençons pas par descendre au plus profond de nous-mêmes, hommes et choses, matières et mots, idéaux et tabous, discriminations raciales et sexuelles, tous ces drapeaux de pacotille et ces nationalismes de championnat. Comment ne pas sentir alors que tes premières* Résidences *sont, sur ton terrain de poète, cette descente aux enfers sans laquelle tu ne serais jamais remonté* a riveder le stelle*? Dans les années 40, en une période où presque tous les poètes suivaient une voie lyrique sans surprise, il tombe sur une génération sud-américaine stupéfaite, émerveillée ou furieuse, une énorme alluvion de mots chargés de matière épaisse, de pierres et de lichens, de sperme sidéral, de vents du large et de mouettes de fin du monde, une nomenclature de bois et de métaux, de peignes et de femmes, de falaises et de bourrasques, et tout cela nous arrive, comme tant d'autres fois, de l'autre côté du monde, où un poète regarde par-dessus la mer son lointain Chili et le comprend et le connaît tellement mieux que d'autres qui ont le nez dessus. Parce que le Chili des* Résidences *c'est déjà le monde latino-américain embrassé en sa totalité par une poésie toute-puissante et c'est aussi la planète entière, la somme des mers et des choses avec, en son centre, un homme solitaire, le vieil homme parmi les ruines d'une histoire qui se dégonfle* not with a bang but a whimper, *le vieil homme naissant à sa véritable jeunesse, à sa virilité conquise vers après vers, peine après peine, le vieil homme laissant derrière lui le catalogue frénétique des amours et des souffrances, des plongées sans issue dans le magma de l'individu qui réside sur terre comme Robinson sur son* *île, l'homme Neruda se dresse, enfin libre et nu, il regarde devant lui et il voit un peuple en lutte, il entre dans la guerre d'Espagne comme on entre dans la mer à bout de sueur et de poussière, Pablo peut écrire* L'Espagne au cœur, *Pablo est déjà parmi les hommes, le* Chant Général *bat dans son sang, il sait déjà, lui, que nous ne sommes pas seuls, que* no man is an island, *que nous ne serons plus jamais seuls sur l'île Terre.*

C'est ainsi que dans ma jeunesse argentine j'ai vécu l'avalanche prodigieuse des premières Résidences, *c'est ainsi qu'avec Neruda et Vallejo je me suis éveillé à une conscience sud-américaine qui soudain et souverainement se suffisait à elle-même, qui n'avait plus besoin de filiations européennes pour s'accomplir. Comment pourrais-je m'étonner que trente ans plus tard cette poésie de bases jetées se voie confirmée par une autre avalanche poétique, celle de peuples entiers se dressant contre une fausse histoire, la révolution était déjà dans ces graines de scandale, la base jetée d'une parole qui nous fut propre était le signe le plus sûr des actes qui allaient suivre pour la recherche d'une totalité sud-américaine. Je sais que nous en sommes encore loin, Pablo, mais le futur est à nous, vieux frère, quoi qu'il arrive, et tous ces millions d'hommes que nous sommes ne parleront pas anglais. Il m'est doux de t'écrire ces pages à l'heure où ton pays tout entouré d'oiseaux salins entre dans l'arène du combat socialiste. Tu vois, le noir cycle élémentaire des premières* Résidences *peut rester en arrière comme tu le veux, une autre poésie t'appelle et appelle ton peuple. Mais que veut dire en arrière dans l'imagination de l'éternel Prométhée humain? Les révolutions naissent d'une dialectique plus complexe que celle que parviennent à analyser les ordinateurs obéissants et programmés. Objets étranges, matières indéfinissables, pulsations secrètes font partie de sa genèse, et des poètes comme toi sont les sismographes de cette lente crevasse qui un jour sera feu et lave. Je ne sais pas, Pablo, si ce que j'ai essayé d'expliquer aura un sens pour Christiane à Limoges, Jean à Marseille, Claude à Paris. Je ne sais pas si tes lecteurs français attendaient une introduction plus systématique et textuelle de ta poésie ; je peux évidemment leur dire qu'il existe sur toi une immense bibliographie qu'on trouve dans toute bonne bibliothèque, mais je crois que ce n'est pas la peine, que Christiane et Jean (que j'imagine jeunes et soulevés par ce vent neuf qui malgré les mensonges et les matraques se fraie un chemin dans l'air fatigué de la vieille Europe) préféreront cette lettre où on ne parle pas d'une poésie pour elle-même mais plutôt d'une mutation radicale de notre langage le plus profond, d'une œuvre qui jette les bases, annonce et assure la rencontre de l'homme latino-américain avec lui-même, sa résidence finale en un pays qui lui appartienne, en un monde plus juste et plus beau.*

Julio Cortazar

(Traduit de l'espagnol
par Laure Guille-Bataillon.)

RÉSIDENCE SUR LA TERRE

I

1925-1931

GALOP MORT

Comme des cendres, comme des mers se peuplant,
dans la lenteur submergée, dans l'informe,
ou comme on entend du haut des chemins
la traversée en croix des coups de cloches,
avec ce son déjà distinct du métal,
confus, songeur, tombant en poussière
dans le même moulin que les formes trop lointaines,
ou évoquées ou non vues,
et le parfum des prunes qui roulant à terre
pourrissent dans le temps, infiniment vertes.

Tout cela si rapide, si vivant,
immobile toutefois, comme la poulie folle sur elle-même,
ces roues de moteur, enfin.
Existant comme les aspérités sèches sur les coutures de
l'arbre,
silencieux, alentour, de telle sorte
que les feuilles entremêlent leurs tiges.
D'où, par où, sur quel rivage?
Le bétail fidèle, instable, aussi muet,
que les lilas autour du couvent,
ou l'arrivée de la mort sur la langue du bœuf
qui tombe à grand fracas, s'écroule et dont les cornes
veulent sonner.

Voilà pourquoi, dans l'immobile, en s'arrêtant, percevoir,
alors, comme une palpitation immense, au-dessus,
comme des abeilles mortes ou des nombres,
ah ! ce que mon cœur pâle ne peut embrasser,
à travers des multitudes, à travers des larmes à peine
surgissant,
et des efforts humains, des tempêtes,
de noires actions découvertes soudainement
comme des glaces, vaste désordre,
océanique, pour moi qui entre en chantant,
comme avec une épée parmi les sans-défense.

Dites, de quoi est fait ce jaillissement de colombes
qu'il y a entre la nuit et le temps, comme un ravin
humide ?
Ce son déjà si long
qui tombe égrenant de pierres les chemins,
de préférence, lorsque seule une heure
croît à l'improviste, se prolongeant sans relâche.

A l'intérieur de l'anneau de l'été
les grandes calebasses écoutent une fois,
étirant leurs plantes émouvantes,
de cela, de ce qui exige beaucoup de soi,
de ce qui est plein, obscures de lourdes gouttes.

ALLIANCE

(Sonate)

De regards poussiéreux tombés sur le sol
ou de feuilles sans bruit et s'ensevelissant.
De métaux sans lumière, avec le vide,
avec le jour absent et soudainement mort.
Au-dessus des mains l'éclat des papillons,
l'envol des papillons à la lueur sans fin.

Tu gardais le sillage de lumière, d'êtres brisés
que le soleil abandonné, à la tombée du jour, précipite
dans les églises.
Teinte de regards, d'un dessein d'abeille,
ta matière de flamme inattendue et fuyante
précède et poursuit le jour et sa famille d'or.

Les jours aux aguets passent en silence
mais tombent dans ta voix de lumière.
Oh maîtresse de l'amour, en ton repos
j'ai fondé mon rêve, mon attitude silencieuse.

Avec ton corps au nombre timide, élargi tout à coup
aux quantités qui décrivent la terre,
derrière la lutte des jours blancs d'espace
et froids de morts lentes et d'ardeurs fanées,

je sens ton sein brûler et tes baisers glisser
façonnant dans mon rêve de fraîches hirondelles.

Parfois le destin de tes larmes s'élève
comme l'âge à mon front, là
les vagues frappent, se consumant de mort :
leur mouvement est humide, déchu, définitif.

CHEVAL DES RÊVES

Superflu, me regardant dans les miroirs
avec un goût de semaines, de biographes, de papiers,
j'arrache de mon cœur le capitaine de l'enfer,
j'établis des clauses indéfiniment tristes.

J'erre d'un point à l'autre, j'absorbe des illusions,
Je bavarde avec les oiseaux dans leurs nids :
et eux, souvent, d'une voix fatale et froide
chantent et font fuir les maléfices.

Il y a un vaste pays dans le ciel
avec les superstitieux tapis de l'arc-en-ciel
et les végétations vespérales :
c'est vers lui que je vais et grande est ma fatigue,
foulant une terre retournée de tombes encore fraîches,
je rêve entre ces plantes aux fruits indécis.

Je passe entre les enseignements possédés, entre les sources,
vêtu comme un être original et abattu :
j'aime le miel usé du respect,
le doux catéchisme entre les feuilles duquel
dorment des violettes vieillies, évanouies,
et les balais, aux secours émouvants,
dans leur apparence il y a sans doute, cauchemar et certitude.

Je détruis la rose qui siffle et la ravisseuse anxiété :
je brise les extrêmes aimés : et plus encore,
je guette le temps uniforme, sans mesures :
une saveur que j'ai dans l'âme me déprime.

Quelle aurore a surgi ! Quelle épaisse lumière de lait,
compacte, digitale, me protège !
J'ai entendu hennir son rouge cheval
nu, sans fers et radieux.
Je survole avec lui les églises,
Je galope à travers les casernes désertes de soldats
et une armée impure me poursuit.
Ses yeux d'eucalyptus volent l'ombre,
son corps de cloche galope et frappe.

J'ai besoin d'un éclair de splendeur persistante,
d'une parenté joyeuse qui assume mes héritages.

FAIBLE DE L'AUBE

Le jour des malheureux, le jour pâle se penche
avec une déchirante odeur froide, dans la grisaille de ses forces,
sans grelots, l'aube ruisselant de tous côtés :
c'est un naufrage dans le vide, avec un alentour de sanglots.

Parce qu'elle est partie de tant de lieux, l'ombre humide, silencieuse,
de tant de vaines méditations, de tant de parages terrestres
où elle a dû absorber jusqu'au dessein des racines,
de tant de formes aiguës qui se défendaient

Je pleure au milieu de ce qui a été envahi, parmi l'obscur,
parmi la saveur croissante,
attentif à la pure circulation, à l'accroissement,
cédant sans but le pas à ce qui vient,
et qui surgit vêtu de chaînes et d'œillets,
je rêve, supportant le restant de mon âme.

Il n'y a rien de hâtif, ni de joyeux, ni d'allure orgueilleuse,
tout semble se faire avec une évidente pauvreté,
la lumière de la terre surgit de ses paupières

non comme l'envolée de la cloche, mais bien plutôt
comme les larmes :
le tissu du jour, sa faible toile,
sert de pansement aux malades, tient lieu de signe
pour les adieux, derrière l'absence :
c'est la couleur qui seulement veut remplacer,
couvrir, avaler, vaincre, créer la distance.

Je suis seul parmi des matières disloquées,
la pluie tombe sur moi, et elle m'apparaît,
elle m'apparaît avec son délire, solitaire dans le monde
mort,
refusée en tombant, et dans l'informe obstiné.

UNITÉ

Il y a quelque chose de dense, uni, installé au fond,
répétant son chiffre, son signe identique.
Ainsi remarque-t-on que les pierres ont touché le temps,
dans leur fine matière il y a une odeur d'âge,
et l'eau qu'amène la mer, et son sel et son rêve.

L'identique m'entoure, et un seul mouvement :
le poids du minéral, la lumière du miel,
s'unissent au son du mot nuit :
l'encre du blé, de l'ivoire, du sanglot,
les choses en cuir, en bois, en laine,
vieillies, déteintes, uniformes,
s'unissent autour de moi comme des murs.

Je travaille sourdement, tournant sur moi-même,
comme le corbeau sur la mort, comme le corbeau de deuil.
Je réfléchis, isolé à l'extrémité des saisons,
central, entouré de géographie silencieuse :
une température partielle tombe du ciel,
un empire extrême de confuses unités
se forme en m'entourant.

SAVEUR

Des fausses astrologies, des coutumes assez lugubres,
répandues dans l'interminable et toujours à mes côtés,
j'ai gardé une tendance, une saveur solitaire.

De conversations usées comme le sont les bois usés,
avec une humilité de chaises, avec des mots occupés
à servir d'esclaves à une volonté secondaire,
ayant cette consistance du lait, des semaines mortes,
de l'air enchaîné sur les villes.

Qui peut se flatter d'une patience plus solide ?
La sagesse m'enveloppe de peau compacte
d'une couleur ramassée comme une couleuvre :
d'un long refus mes créatures naissent :
et moi, avec un seul alcool, je peux congédier ce jour
que j'ai choisi, pareil entre les jours terrestres.

Je vis plein d'une substance de couleur commune,
 silencieuse
comme une vieille mère, une patience fixe
comme l'ombre en l'église la paix des ossements.
Je marche empli de ces eaux disposées profondément,
préparées, s'endormant dans une attention triste.

Dans mon intérieur de guitare il y a un air vieux,
sec et sonore, figé, immobile,
comme une nutrition fidèle, comme la fumée :
un élément en repos, une huile vive :
et sur ma tête veille un oiseau de rigueur :
un ange immuable habite mon épée.

ABSENCE DE JOAQUIN

Dès cet instant, comme un départ vérifié au loin,
sur de funéraires gares de fumée ou sur des jetées
solitaires,
dès cet instant je le vois se précipitant dans sa mort,
et sens derrière lui les jours du temps qui se referment.

Dès cet instant, je sens qu'il part, brusquement,
se précipitant dans les eaux, mais quelles eaux, quel
océan,
et ensuite, sous ce choc, des gouttes surgissent et
je sens se produire un bruit,
un bruit déterminé, un bruit sourd,
une trombe d'eau fouettée par son poids,
et de quelque part, de quelque part je sens que ces eaux
sautent et éclaboussent,
ces eaux m'éclaboussent et vivent comme des acides.

Son habitude de rêves et de folles nuits,
son âme désobéissante, sa pâleur apprêtée
dorment enfin avec lui, et il dort,
parce que sur la mer des morts sa passion s'est effondrée,
naufrage violent, union glacée.

MADRIGAL ÉCRIT EN HIVER

Au fond profond de la mer profonde,
dans la longue nuit aux rais de lumière,
ainsi qu'un cheval au galop
silencieux ton nom de silence.

Place-moi sur ton dos, ay, accueille-moi,
apparais-moi dans ton miroir, soudain,
sur la feuille solitaire, nocturne,
surgie de l'ombre, dans ton dos.

Fleur de la douce et totale lumière,
offre-moi ta bouche de baisers,
violente de séparations,
ta bouche fine et décidée.

C'est vrai, de loin en loin,
d'oubli en oubli résident avec moi
les rails, le cri de la pluie :
ce que la sombre nuit protège.

Accueille-moi dans la trame du soir,
quand l'aube de la nuit apprête
son habit et que palpite dans le ciel
une étoile pleine de vent.

Que ton absence me saisisse jusqu'au fond,
lourdement, et qu'elle m'aveugle,
que ton existence me traverse, tout comme si
mon cœur en devenait néant.

FANTÔME

Comme tu surgis d'antan, arrivant,
éblouie, pâle étudiante.
Et les mois dilatés et fixes réclament
encore la consolation de ta voix.

Ses yeux luttaient comme des rameurs
dans l'infini mort
avec un espoir de rêve et de matière
d'êtres surgissant de la mer.

Du lointain
où diffère le parfum de la terre
et c'est en pleurant qu'arrive le soir
apparu dans ses sombres coquelicots.

Dans la hauteur immobile des jours
l'insensible jeune homme diurne
s'endormait sur ton rayon de lumière
et c'est comme une épée qui l'aurait soutenu.

Pendant ce temps pousse dans l'ombre
du long parcours accompli dans l'oubli
la fleur de solitude, humide, vaste,
comme la terre dans un long hiver.

LAMENTATION LENTE

Dans la nuit du cœur
la lente goutte de ton nom
glisse et tombe et brise et déploie
en silence son eau.

Légère sa blessure exige quelque chose
et sa déférence courte et infinie,
comme le pas d'un être qui s'égare
soudain entendu.

Soudain, soudain perçu
et dans le cœur répandu
avec l'insistance triste et le déploiement
d'un rêve froid d'automne.

La roue épaisse de la terre
fait rouler sa jante humide d'oubli
coupant le temps
en d'inaccessibles moitiés.

Ses dures voûtes couvrent ton âme
répandue dans la terre froide
avec ses pauvres étincelles bleues
volant dans la voix de la pluie.

COLLECTION NOCTURNE

J'ai vaincu l'ange du rêve, le funeste allégorique :
il appuyait sa requête, son pas épais arrive
enveloppé de coquilles d'escargots et de cigales,
marin, et de fruits aigus parfumé.

Et le vent agite les mois, il agite le train qui siffle,
la marche de la fièvre sur le lit,
une épaisseur d'ombre sonore
tombant dans l'interminable comme un chiffon,
et des distances répétées, un vin de couleur confondue,
et le pas poussiéreux des vaches mugissantes.

Parfois sa corbeille noire tombe dans ma poitrine,
ses sacs de puissance blessent mon épaule,
sa multitude de sel, son armée entrouverte
parcourent et brassent les choses du ciel :
lui galope dans le souffle et son pas est de baiser :
il plante son salpêtre authentique dans les paupières
c'est vigueur essentielle et propos solennel :
il pénètre dans ce qui est préparé comme un maître :
équipe tout à coup et sans bruit sa substance,
et propage tenacement son aliment prophétique.

Je reconnais souvent ses guerriers,
ses pièces corrodées par l'air, leurs dimensions,
et son besoin d'espace est si violent
que jusque dans mon cœur il descend le chercher :
maître des plateaux inaccessibles,
il danse avec des personnages tragiques et quotidiens :
la nuit son acide aérien déchire ma peau
et j'écoute en moi trembler son instrument.

J'écoute le rêve de vieux compagnons et de femmes aimées,
rêves dont les battements me brisent :
je foule en silence son matériau de tapis,
je mords avec délire sa lumière de coquelicot.

Cadavres endormis qui souvent
dansent agrippés au poids de mon cœur,
quelles villes opaques nous parcourons!
Mon brun coursier d'ombre se dresse
et sur des brelandiers vieillis, sur des lupanars aux marches usées,
sur des lits de petites filles nues, parmi des joueurs de football,
nous passons ceints par le vent :
alors tombent dans notre bouche ces doux fruits du ciel,
les oiseaux, les cloches conventuelles, les comètes :
celui qui s'est nourri de géographie pure et de frémissement,
peut-être nous a-t-il vu passer en étincelant.

Camarades dont les têtes reposent sur des barils,
dans un bateau fugitif démantelé, dans le lointain,
mes amis sans larmes, femmes au visage cruel :
minuit est arrivé et un gong de mort
résonne autour de moi comme la mer.
La saveur et le sel du dormeur dans la bouche.

Fidèle comme une peine, la pâleur du district léthargique
accourt sur chaque corps :
un sourire froid, submergé,
des yeux couverts comme des boxeurs fatigués,
une respiration qui dévore sourdement des fantômes.

Dans cette humidité de naissance, avec cette dimension
ténébreuse,
fermée comme une cave, l'air est criminel :
les murs ont une triste couleur de crocodile,
une conformation de sinistre araignée :
on marche dans le flasque comme sur un monstre mort :
les raisins noirs, gorgés, immenses,
pendent comme des outres entre les ruines :
Ô Capitaine, en notre heure de partage
ouvre les verrous muets et attends-moi :
c'est le lieu où nous dînerons vêtus de deuil :
le malade de malaria garde les portes.

Mon cœur, il se fait tard et sans rivages,
le jour, comme une pauvre nappe mise à sécher,
oscille entouré d'êtres et d'étendue :
dans l'atmosphère il y a un peu de chaque être vivant :
en regardant l'air longtemps des mendiants apparaîtraient,
des avocats, des bandits, des facteurs, des couturières,
et un peu de chaque métier, un reste humilié
veut faire sa place en nous.
Je cherche depuis l'antan, j'examine sans arrogance,
conquis, sans doute, par ce qui est vespéral.

NOUS ENSEMBLE

Que tu es pure de soleil ou de nuit tombée,
quelle triomphale démesure ton orbite de blanc,
et ta poitrine de pain, haute de climat,
ta couronne d'arbres noirs, bien-aimée,
et ton nez d'animal solitaire, de brebis sauvage
qui sent l'ombre et la fugue tyrannique précipitée.
A présent, quelles armes splendides sont mes mains,
digne est leur pelle d'os et leur lys d'ongles,
et le lieu de mon visage, et l'affermage de mon âme
sont situés juste au cœur de la force terrestre.

Qu'il est pur mon regard d'influence nocturne,
tombé d'yeux obscurs et d'éperons féroces,
ma statue symétrique aux deux jambes jumelles
monte chaque matin vers les étoiles humides,
et ma bouche d'exil mord la chair, le raisin,
mes bras d'homme, et ma poitrine tatouée
pénétrée de duvet comme une aile d'étain,
ma blanche figure faite pour la profondeur du soleil,
mon cheveu fait de rites, et de minéraux noirs,
mon front, profond ainsi qu'un coup ou un chemin,
ma peau de fils mûr, et destiné à la charrue,
mes yeux de sel avide, d'épousailles rapides,
ma langue suave amie du navire et de la jetée,

mes dents d'horaire blanc, d'équité systématique,
la peau qui à mon front fait un vide de glaces
et tourne dans mon dos, vole sur mes paupières,
et se replie sur mon plus profond aiguillon,
et grandit pour gagner les roses de mes doigts,
avec mon menton d'os et mes pieds de richesse.

Et toi semblable à un mois d'étoiles, semblable à un immobile baiser,
semblable à une structure d'aile, semblable à un début d'automne,
petite fille, ma partenaire, mon amoureuse,
la lumière fait son lit sous tes grandes paupières
dorées comme des bœufs, et la ronde colombe
refait en toi la blancheur de son nid
De vagues en lingots et de tenailles blanches,
ta santé de pomme furieuse infiniment se prolonge,
dans un tonneau craintif ton estomac écoute,
tes mains filles du ciel et de la farine.

Comme tu es semblable au baiser le plus long,
sa secousse figée semble ta nourriture,
et son audace de braise et de drapeau en révolte,
continue à palpiter sur tes domaines, à trembler en s'élevant,
et ta tête alors s'affine en cheveux,
et sa forme guerrière, son cercle sec,
s'effondre soudain en fils linéaires
comme des tranchants d'épées ou des héritages de fumée.

TYRANNIE

Ô dame sans cœur, ô fille du ciel,
viens à mon secours en cette heure solitaire,
violente, indifférente comme une arme
avec ton sens de l'oubli sans pardon.

Un temps absolu tel un océan,
une blessure confuse telle un nouvel être,
étreignent la racine tenace de mon âme
rongeant le cœur de ma confiance.

Quel sourd battement s'agite en mon cœur
tel une vague qu'auraient faite toutes les vagues,
et ma tête se lève, désespérée
en un effort de saut et de mort.

Un hostile imprécis tremble en ma certitude,
grandissant ou naissant des larmes,
telle une plante déchirante et dure
faite de feuilles enchaînées, amères.

SÉRÉNADE

Sur ton front le repos, la couleur des coquelicots,
le deuil des veuves y trouve un écho, ô compatissante :
lorsque tu cours derrière les chemins de fer, dans les
  champs,
le laboureur émacié te tourne le dos,
de tes empreintes jaillissent en tremblant les doux
  crapauds.

Le jeune homme sans souvenir te salue, il t'interroge sur
  sa volonté oubliée,
ses mains sont des oiseaux qui volent dans ton ciel,
autour de lui grande est l'humidité :
traversant ses pensées inachevées,
voulant atteindre quelque chose, ô en te cherchant,
ses yeux pâles palpitent dans ton filet
qui scintillent soudain comme des instruments perdus.

Oh! je me souviens du commencement de la soif,
de l'ombre serrée contre les jasmins,
le corps profond où tu te recueillais
et pareil lui aussi à la goutte tremblante.

Mais tu fais taire les grands arbres et au-dessus de la
  lune, au loin,
comme un voleur par toi la mer est surveillée.
Ô nuit, mon âme étreinte t'interroge
désespérée sur le métal qui est son bien.

DIURNE DOLENT

D'une passion excessive et de rêves de cendre
je porte le dais pâle, et l'évident cortège,
un vent de métal solitaire,
un serviteur mortel vêtu de faim,
et dans la fraîcheur qui descend de l'arbre, dans l'essence
du soleil
son astrale santé l'implante dans les fleurs,
quand à ma peau semblable à l'or arrive le plaisir,
toi, fantôme de corail à la patte de tigre,
toi, moment funéraire, et réunion ignée,
tu es là, guettant la patrie où je survis
dans le tremblotement de tes lances lunaires.

Parce que la fenêtre que le midi vide traverse
un jour sans importance a plus d'air sur ses ailes,
la frénésie enfle le costume et le rêve enfle le chapeau,
une abeille multipliée flambe sans trêve.
A présent quel pas imprévu fait crisser les chemins ?
Quelle vapeur de saison lugubre, quel visage de cristal,
et plus encore, quel son de vieille charrette avec des épis ?
Ah ! une à une, la vague qui pleure et le sel qui s'émiette,
et le temps de l'amour céleste qui passe en volant,
leur ancienne voix d'hôtes et d'espace dans l'attente.

De séparations menées à leur fin, de ressentiments infidèles,
d'espérances héréditaires mêlées à l'ombre,
de secours déchirants et doux
et de jours de veine transparente et de statue florale,
que subsiste-t-il dans mon étroite frontière, dans mon faible engendrement ?
De mon lit jaune et de ma substance étoilée,
qui n'est pas proche et absent à la fois ?
J'ai un effort qui bondit, une flèche
de blé, et un arc qui m'attend manifeste, dans la poitrine,
avec un faible battement, d'eau et de ténacité,
comme ce qui se brise et se brise sans cesse,
transperce mes abîmes jusqu'en leur profondeur,
éteignant mon pouvoir et propageant mon deuil.

MOUSSON DE MAI

Le vent de la saison, le vent vert,
chargé d'espace et d'eau, faiseur d'infortunes,
enroule le lugubre cuir de son drapeau,
d'une substance évanouie, comme une pièce d'aumône :
ainsi, argenté, froid, un jour s'est hébergé,
fragile, l'épée de cristal d'un géant,
entre tant de forces qui protectrices de son soupir et de
  sa crainte
sa larme qui tombe, son sable inutile,
entouré de pouvoirs qui traversent et crissent,
comme un homme nu dans une bataille
levant son bouquet blanc, son incertaine certitude,
sa tremblante goutte de sel au cœur de l'envahissement.

Quel repos entreprendre, quelle pauvre espérance aimer,
d'une si faible flamme, d'un feu si fugitif?
Et contre quoi lever la hache de la faim?
Déposséder de quelle matière, fuir de quelle foudre?
Sa lumière faite à peine d'éclat et de frémissement
traîne comme une traîne de robe de fiancée triste
parée de sa pâleur et son rêve mortel.
Car tout ce que l'ombre a touché, que le désordre a
  convoité

gravite, fluide, suspendu, de paix dépourvu,
sans défense parmi les espaces, vaincu par la mort.

Hélas ! c'est le destin d'un jour qu'on attendait,
c'est vers lui que couraient les cartes, les embarcations,
  les affaires,
mourir, sédentaire et humide, sans son propre ciel.
Où est son velum d'odeur, son feuillage profond,
son présage rapide de braise, sa vive respiration ?
Immobile, vêtu d'un éclat moribond et d'une écaille
  opaque
la pluie se fend en deux moitiés
qu'attaque le vent nourri d'eau.

ART POÉTIQUE

Entre l'ombre et l'espace, entre les garnisons et les jeunes filles,
doté d'un cœur étrange et de rêves funestes,
brusquement pâle, au front fané
avec le deuil d'un veuf furieux devant chaque jour de la vie,
oui, pour l'eau invisible que je bois en rêvant
comme pour chaque son que j'accueille en tremblant,
j'ai pareille soif absente et pareille fièvre froide,
une oreille qui s'éveille, une angoisse Dieu sait d'où,
comme s'il arrivait des voleurs ou des fantômes,
et dans une écorce d'extension fixe et profonde,
comme un valet humilié, une cloche déjà rauque,
comme un miroir usé, comme une odeur de maison seule
dans laquelle entrent les hôtes la nuit, éperdument ivres,
et il y a une odeur de vêtements jetés à terre, et une absence de fleurs
— probablement d'une certaine façon encore moins mélancolique —,
mais, en vérité, soudain, le vent qui fouette ma poitrine,
les nuits tombées d'une substance infinie dans ma chambre,
le bruit d'un jour qui flambe sous le sacrifice
exigent ce qu'il y a de prophétique en moi, avec mélancolie
et un bruit d'objets qui appellent sans qu'on leur réponde,
il y a, et un mouvement sans trêve, et un nom confus.

SYSTÈME SOMBRE

De chacun de ces jours noirs comme de vieux fers,
ouverts par le soleil comme de grands bœufs rouges,
à peine soutenus par l'air et par les rêves,
et soudain à jamais disparus,
rien n'a remplacé mes origines perturbées,
et les mesures inégales qui circulent dans mon cœur
se forgent là jour et nuit, solitairement,
et embrassent des quantités désordonnées et tristes.

Ainsi donc, comme une vigie qui serait devenue insensible et aveugle,
incrédule, à un guet douloureux condamné,
face au mur sur lequel se fond chaque jour du temps,
mes visages différents s'abandonnent et s'enchaînent
comme feraient de grandes fleurs pâles et lourdes
tenacement substituées et défuntes.

ANGELA ADONICA

Aujourd'hui je me suis étendu près d'une jeune fille pure
comme sur le bord d'un océan blanc,
comme au centre d'une ardente étoile
d'espace lent.

De son regard longuement vert
la lumière tombait comme une eau sèche,
en de transparents et de profonds cercles
de force fraîche.

Ses seins dressés comme un feu à deux flammes
flambaient au-dessus de deux régions,
et en un double fleuve arrivaient à ses pieds
grands et clairs.

Un climat d'or commençait à mûrir
les longitudes diurnes de son corps
l'emplissant de fruits débordants,
d'un feu occulte.

SONATE ET DESTRUCTIONS

Bien après, après d'imprécises distances
incertain de mes domaines, indécis de mes contrées,
suivi de pauvres espérances
et de compagnies infidèles ainsi que de rêves méfiants,
j'aime la ténacité qui survit encore dans mes yeux,
j'entends dans mon cœur mes pas de cavalier,
je mords le feu endormi et le sel perdu,
et la nuit, d'obscure atmosphère et de deuil fugitif,
celui qui veille au bord des campements,
le voyageur armé de résistances stériles,
arrêté parmi les ombres qui grandissent et les ailes qui
  tremblent,
je me sens être, et mon bras de pierre me défend.

Il y a parmi les sciences du sanglot un autel confus,
et dans les soirées qui s'achèvent sans parfum,
dans mes chambres abandonnées où vient habiter la lune,
et mes araignées personnelles, et les destructions
  qui me sont chères,
j'adore mon propre être perdu, mon imparfaite substance,
mon coup d'argent et ma perte éternelle.
Le raisin humide a flambé, et son eau funéraire
vacille encore, demeure encore,
et le patrimoine stérile, et l'adresse trompeuse.

Qui a célébré les cendres ?
Qui a aimé ce qui est perdu, qui a protégé le plus faible ?
L'os du père, le bois du bateau mort,
et sa propre fin, sa fuite même,
sa force triste, son dieu misérable ?

Je guette donc, l'inanimé et le dolent,
et le témoignage étrange que je soutiens,
avec une cruelle efficience et de cendres écrit,
c'est la forme d'oubli que je préfère,
le nom que je donne à la terre, et le prix de mes rêves,
l'infinie quantité dont je fais division
avec mes yeux d'hiver, durant chaque jour de ce monde.

II

LA NUIT DU SOLDAT

Moi, je fais la nuit du soldat, le temps de l'homme sans mélancolie ni extermination, du type jeté au loin sur l'océan et une vague, et qui ne sait pas que l'eau amère l'a séparé et qu'il vieillit, petit à petit et sans peur, consacré à ce qui est courant dans la vie, sans cataclysmes, sans absences, vivant dans sa peau et dans son costume, sincèrement obscur. Ainsi donc, je me revois avec des camarades stupides et joyeux, qui fument et crachent et boivent horriblement, et qui tout à coup tombent frappés à mort. Pourquoi, où sont la tante, la fiancée, la belle-mère, la belle-sœur du soldat? Peut-être meurent-ils d'ostracisme ou de malaria, deviennent froids, jaunes, et émigrent sur un astre de glace, sur une planète fraîche, pour se reposer, enfin, parmi des jeunes filles et des fruits glacés, et leurs cadavres, leurs pauvres cadavres de feu, s'en iront veillés par des anges d'albâtre dormir loin de la flamme et de la cendre.

Pour chaque jour qui s'en va, avec son devoir vespéral de succomber, je me promène, faisant une garde inutile, et je passe entre des marchands mahométans, entre des gens qui adorent la vache et le cobra, je passe, mal aimé et au visage commun. Les mois ne sont pas inaltérables, et il pleut parfois : il tombe, de la chaleur du ciel, une imprégnation silencieuse comme la sueur, et sur les grands végétaux, sur le dos des bêtes féroces, au cours d'un certain silence, ces plumes humides s'entremêlent et s'allongent. Les eaux de la nuit, les larmes du vent de mousson, salive salée tombée comme l'écume du cheval, et lente d'augmentation, pauvre d'une éclaboussure étonnée de vol.

A présent, où est cette curiosité professionnelle, cette tendresse abattue qui par son seul répit ouvrait la brêche, cette conscience resplendissante dont la lueur m'habillait d'ultra-bleu? Je marche respirant comme un fils jusqu'au cœur d'une méthode obligatoire, d'une tenace patience physique, conséquence des aliments et de l'âge accumulés chaque jour, dépouillé de mon habit de vengeance et de ma peau d'or. Les heures d'une seule saison roulent à mes pieds, et un jour aux formes diurnes et nocturnes est presque toujours détenu sur moi.

Alors, de temps en temps, je rends visite à des jeunes filles aux yeux et aux hanches jeunes, à des êtres dans la coiffure desquels brille une fleur jaune comme l'éclair. Elles portent des bagues à chaque doigt de pied, et des bracelets, et des anneaux aux chevilles, et en outre, des colliers de couleur, des colliers que je retire et examine, car je veux me surprendre devant un corps ininterrompu et compact, et ne pas tempérer mon baiser. Je pèse dans mes bras chaque nouvelle statue, et je bois son remède vivant d'une soif masculine et en silence. Couché, regardant d'en bas la fugitive créature, grimpant jusqu'à son sourire à travers son être nu : gigantesque et triangulaire vers le haut, soulevée dans l'air par deux seins globaux, fixes devant mes yeux comme deux lampes à la lumière d'huile blanche et aux douces énergies. Je m'en remets à son étoile brune, à l'ardeur de sa peau, et immobile sous ma poitrine comme un adversaire malheureux, aux membres trop épais et faibles, à l'ondulation sans défense : ou bien tournant sur elle-même comme une roue pâle, partagée d'aspes et de doigts, rapide, profonde, circulaire, comme une étoile en folie.

Ay, de chaque nuit qui survient, il y a un peu de braise abandonnée qui s'épuise seule, et tombe enveloppée de ruines, au milieu des choses funéraires. J'assiste souvent à ces situations, couvert d'armes inutiles, plein d'objections détruites. Je garde les vêtements et les os légèrement imprégnés de cette matière semi-nocturne : c'est une poussière temporelle qui s'unit à moi, et le dieu de la substitution veille parfois à mon côté, en respirant tenacement, en levant l'épée.

COMMUNICATIONS DÉMENTIES

Ces jours-là égarèrent mon sens prophétique, les collectionneurs de timbres entraient dans ma maison, et embusqués, aux hautes heures de la saison, ils assaillaient mes lettres, ils arrachaient d'elles des baisers froids, des baisers soumis à une longue résidence marine, et des sortilèges qui protégeaient mon sort avec une science féminine et une défense calligraphique.

Je vivais près d'autres maisons, d'autres personnes et d'arbres s'élevant vers le grandiose, pavillons de feuillages passionnels, racines émergées, pelles végétales, cocotiers directs, et au milieu de ces écumes vertes, je passais avec mon chapeau pointu et un cœur tout à fait romanesque, d'une enjambée lourde de splendeur, car à mesure que mes pouvoirs s'usaient, et que pulvérisés ils recherchaient la symétrie comme les morts dans les cimetières, les lieux connus, les étendues jusqu'ici méprisées et les visages qui comme des plantes endormies poussaient dans mon abandon, se transformaient autour de moi avec terreur et en secret, comme des quantités de feuilles qu'un automne subit bouleverse.

Perroquets, étoiles, et en outre le soleil officiel et une brusque humidité firent naître en moi un goût concentré pour la terre et pour tout ce qui la recouvrait, et un amour de vieille maison pour ses chauves-souris, une délicatesse de femme nue pour ses ongles, disposèrent de moi comme d'armes faibles et tenaces de mes facultés honteuses, et la mélancolie plaça sa strie dans mon essence, et la lettre d'amour, pâle de papier et de crainte, retira son araignée tremblante qui tisse à peine et détisse sans cesse et tisse. Naturellement, de la lumière lunaire, de sa prolongation circonstancielle, et plus encore, de son axe froid, que les oiseaux (hirondelles, oies) ne peuvent même pas piétiner dans les délires de l'émigration, de sa peau bleue, lisse, fine et sans bijoux, je suis tombé vers le deuil, comme quelqu'un qui tombe blessé par une arme blanche. Je suis un sujet au sang particulier, et cette substance nocturne et maritime à la fois m'altérait et me faisait souffrir, et ces eaux subcélestes diminuaient mon énergie et mon besoin d'échanges.

De cette façon historique mes os acquirent une grande prépondérance sur mes intentions : le repos, les demeures au bord de la mer m'attiraient, sans garantie, mais par destin, et une fois arrivé dans l'enceinte, entouré du chœur muet et parfaitement immobile, soumis à l'heure dernière et à ses parfums, injuste avec les géographies inexactes et partisan mortel du fauteüil de ciment, je veille militairement sur le temps, et avec le fleuret de l'aventure taché d'un sang oublié.

LE DÉSHABITÉ

Saison inaccessible ! Sur les côtés du ciel une bise pâle s'amoncelait, un air déteint et envahisseur, et vers tout ce que les yeux embrassaient, comme un lait épais, existait comme un rideau durci, continuellement. De telle sorte que l'être se sentait isolé, soumis à cette étrange substance, entouré d'un ciel proche, avec le mât brisé face à un littoral blanchâtre, délaissé par le solide, face à un parcours impénétrable et dans une maison de brume. Condamnation et horreur ! Pour avoir été blessé et abandonné, ou avoir choisi les araignées, le deuil et la soutane. Pour s'être embusqué, grandement las de ce monde, et pour s'être entretenu des sphinx et des ors et des destins fatidiques. Pour avoir amarré la cendre à l'habit quotidien, et avoir embrassé l'origine terrestre avec sa saveur d'oubli. Mais non. Non.

Matières froides qui tombent sombrement de la pluie, repentirs sans résurrection, oubli. Dans ma chambre sans portraits, sur mon habit sans lumière, que de place demeure éternellement, et à quel point se condense le lent rayon direct du jour jusqu'à ne plus être qu'une seule goutte obscure.

Mouvements tenaces, sentiers verticaux où l'on s'élève parfois à cette fleur dernière, compagnies douces ou brutales, portes absentes ! Je mange chaque jour un pain léthargique, je bois à une eau exilée !

Le serrurier hurle, le cheval trotte, la bourrique trempée de pluie, et le cocher au long fouet tousse, le maudit ! Le reste, jusqu'à de très longues distances, demeure immobile, recouvert par le mois de juin, et ses végétations mouillées, ses animaux silencieux, s'unissent comme des vagues. Oui, quelle mer d'hiver, quelle contrée submergée tente de survivre, et apparemment morte, traverse en de longues voitures mortuaires cette dense surface ?

Souvent, le soir tombé, j'approche la lumière de la fenêtre et je me regarde, soutenu par de misérables bois, étendu dans l'humidité comme un cercueil vieilli, entre des murs brusquement vulnérables. Je rêve, d'une absence à une autre, et à une autre distance, assujetti et amer.

LE JEUNE MONARQUE

A la suite de ce qui vient d'être lu et qui précède la page qui suit je dois acheminer mon étoile vers la contrée amoureuse.

Patrie circonscrite par deux longs bras tièdes, à la longue passion parallèle, et un lieu d'ors défendus par un système et les mathématiques d'une science guerrière. Oui, je veux me marier avec la plus belle de Mandalay, je veux confier mon enveloppe terrestre à ce bruit de la femme cuisinant, à cet halètement de jupe et de pieds nus qui se meuvent et se fondent comme le vent et les feuilles.

Amour de jeune fille au petit pied et grand cigare, fleurs d'ambre dans la coiffure cylindrique et pure, à la démarche en danger, tel un lys à lourde tête, et de puissante consistance.

Et mon épouse près de moi, à côté de ma rumeur venue de si loin, mon épouse birmane, fille du roi.

Je baise alors sa noire chevelure enroulée, et son pied doux et immortel : et la nuit déjà proche, son moulin déchaîné, j'écoute mon tigre et pleure mon absente.

ÉTABLISSEMENTS NOCTURNES

J'appelle difficilement la réalité, comme le chien, et j'aboie aussi. Combien j'aimerais établir le dialogue de l'hidalgo et du batelier, peindre la girafe, décrire les accordéons, chanter ma muse nue et enroulée à ma taille d'assaut et de résistance. Telle est ma taille, mon corps en général, une lutte éveillée et longue, et mes reins écoutent.

Oh Dieu, que de grenouilles habituées à la nuit, sifflant et ronflant avec des gorges d'êtres humains de quarante ans, et combien étroite et sidérale est la courbe qui jusqu'au plus loin m'entoure! A ma place, les chanteurs italiens pleureraient, les docteurs en astronomie ceints de cette aube noire, définis jusqu'au cœur par cette épée pointue.

Et cette condensation ensuite, cette unité des éléments de la nuit, cette supposition placée derrière chaque chose, et ce froid si clairement soutenu d'étoiles.

Exécration pour tout mort qui ne voit pas, pour tout blessé d'alcool ou de malheur, et louange au veilleur, à l'être intelligent que je suis, survivant adorateur des cieux.

ENTERREMENT A L'EST

Je travaille la nuit, entouré de ville,
de pêcheurs, de potiers, de défunts brûlés
avec du safran et des fruits, enveloppés dans une mousseline écarlate :
sous mon balcon ces morts terribles
passent agitant des chaînes et des flûtes de cuivre,
stridentes, fines et lugubres elles sifflent
parmi la couleur des lourdes fleurs empoisonnées
et le cri des danseurs cendreux
et la montée monotone des tam-tams,
et la fumée des bois qui flambent et parfument.
Car une fois passée la courbe du chemin, près du fleuve trouble,
leurs cœurs, arrêtés ou entreprenant un grand mouvement
rouleront brûlés, avec la jambe et le pied en feu,
et la cendre frémissante tombera sur l'eau,
flottera comme un bouquet de fleurs calcinées
ou comme un feu éteint laissé là par d'aussi puissants voyageurs
qui firent flamber quelque chose sur les eaux noires et dévorèrent
une haleine disparue et une puissante liqueur.

III

JEUNE HOMME SEUL

Les jeunes homosexuels et les jeunes filles amoureuses,
et les longues veuves qui souffrent d'insomnie délirante,
et les jeunes dames fécondées il y a trente heures,
et les chats rauques qui traversent mon jardin de ténèbres,
tel un collier de palpitantes huîtres sexuelles
entourent ma résidence solitaire,
tels des ennemis établis contre mon âme,
tels des conspirateurs en tenue de nuit
qui auraient pour consigne d'échanger de longs baisers
  épais.

Le radieux été conduit les amoureux
en d'uniformes régiments mélancoliques,
composés de gros et maigres et joyeux et tristes couples :
sous les élégants cocotiers, près de l'océan et de la lune,
il y a une vie constante de pantalons et de jupes,
une rumeur de bas de soie caressés,
et de seins féminins qui brillent comme des yeux.

Le petit employé, après un lourd,
après un long ennui hebdomadaire, et les romans lus la
  nuit au lit
a définitivement séduit sa voisine,
et l'emmène dans les misérables cinémas

où les héros sont des poulains ou des princes passionnés,
et il caresse ses jambes pleines de duvet
avec ses mains humides, ardentes et qui sentent la cigarette.

Les soirées du séducteur et les nuits des époux
se fondent comme deux draps qui m'ensevelissent,
et les heures après le déjeuner où les jeunes étudiants
et les jeunes étudiantes, et les prêtres se masturbent,
et les animaux forniquent sans détours,
et les abeilles sentent le sang, et les mouches colériques bourdonnent,
et les cousins jouent étrangement avec leurs cousines,
et les médecins regardent avec fureur le mari de la jeune patiente,
et les heures du matin où le professeur, comme par mégarde,
accomplit son devoir conjugal et déjeune,
et plus encore, les adultères, qui s'aiment d'un véritable amour
sur des lits hauts et longs comme des navires :
sûrement, éternellement m'entoure
cette grande forêt respiratoire et enchevêtrée
de grandes fleurs comme des bouches et des dentitions
et de noires racines en forme d'ongles et de chaussures.

RITUEL DE MES JAMBES

Je suis demeuré longuement regardant mes longues jambes,
avec une tendresse infinie et curieuse, avec ma passion coutumière,
comme si elles avaient été les jambes d'une femme divine
profondément enfouie dans l'abîme de mon thorax :
et c'est qu'en vérité, lorsque le temps, le temps passe,
sur la terre, sur le toit, sur ma tête impure,
et passe, le temps passe, et que dans mon lit je ne sens pas la nuit qu'une femme respire, dormant nue et à mon côté,
alors, d'étranges, d'obscures choses prennent la place de l'absente,
de troubles, de mélancoliques pensées
sèment de lourdes possibilités dans ma chambre,
et ainsi, donc, je regarde mes jambes comme si elles appartenaient à un autre corps,
et que fortement et doucement elles étaient collées à mes entrailles.

Comme des tiges ou de féminines, d'adorables choses,
elles montent des genoux, cylindriques et épaisses,
avec un matériel d'existence troublé et compact;
comme de brutaux, de gros bras de déesse,

comme des arbres monstrueusement vêtus d'êtres humains,
comme de fatales, d'immenses lèvres assoiffées et tranquilles,
voilà la meilleure partie de mon corps :
l'entièrement substantiel, sans contenu compliqué
de sens ou de trachées, ou d'intestins ou de ganglions :
rien, si ce n'est la pureté, la douceur et la densité de ma propre vie,
contenant la vie, cependant, d'une manière totale.

Les gens traversent le monde dans l'actualité
sans à peine se souvenir qu'ils possèdent un corps et en lui la vie,
et il y a la peur, il y a la peur dans le monde des mots qui désignent le corps,
et l'on parle avec bienveillance des vêtements,
il est possible de parler de pantalons, de costumes,
et de lingerie de femme (de bas et de jarretelles de « dames »),
comme si les robes et les costumes passaient dans les rues complètement vides
et qu'un sombre et obscène vestiaire occupât le monde.

Les costumes, couleur, forme, dessin, ont une existence,
et une profonde place dans nos mythes, trop de place,
il y a dans le monde trop de meubles et trop de maisons,
et mon corps vit entre et sous tant de choses abattu,
avec une pensée fixe d'esclave et de chaînes.
Bon, mes genoux, comme des nœuds,
particuliers, fonctionnaires, évidents,
séparent les moitiés de mes jambes de façon nette :
et en réalité deux mondes différents, deux sexes différents
ne sont pas aussi différents que les deux moitiés de mes jambes.
Du genou jusqu'au pied une forme dure,

minérale, froidement utile, apparaît,
une créature d'os et de persistance,
et les chevilles ne sont déjà plus que le dessein nu,
l'exactitude et le nécessaire disposés définitivement.

Voici mes jambes,
sans sensualité, courtes et dures, et masculines, et dotées
de groupes musculaires tels des animaux complémentaires,
et là aussi une vie, une solide, subtile, une vie aiguë
demeure sans trembler, attendant et agissant.
Sur mes pieds chatouilleux,
et durs comme le soleil, ouverts comme des fleurs,
et perpétuels, magnifiques soldats
dans la guerre grise de l'espace,
tout s'achève, la vie s'achève définitivement dans mes pieds,
là commence ce qui est étranger et hostile :
les noms du monde, le limitrophe et le lointain,
le substantif et l'adjectif qui n'entrent pas dans mon cœur
avec une constance dense et froide prennent naissance là.

Il y aura toujours
entre mes pieds et la terre,
des produits manufacturés, des bas, des chaussures,
ou simplement un air infini,
renforçant l'isolement et la solitude de mon être,
quelque chose de tenacement supposé entre ma vie et la terre,
quelque chose d'ouvertement invincible et hostile.

LE FANTÔME DU NAVIRE MARCHAND

Distance réfugiée sur des rouleaux d'écume,
sel de vagues rituelles et d'ordres définis,
et une odeur, une rumeur de vieux navire,
de bois pourris et de fers avariés,
la fatigue, l'aboi et les pleurs de machines
poussant la proue et frappant les côtés,
mâchant les lamentations, avalant et avalant des distances,
faisant un bruit d'aigres eaux sur les aigres eaux,
déplaçant le vieux bateau sur les vieilles eaux.

Entrepôts intérieurs, tunnels crépusculaires
que visite le jour intermittent des ports :
sacs, sacs accumulés par un dieu sombre
semblables à des animaux gris, ronds et sans yeux,
avec de douces oreilles grises,
et des ventres estimables pleins de blé ou de coprah,
ventres sensitifs de femmes enceintes,
pauvrement vêtues de gris, attendant
patiemment dans l'ombre d'un cinéma douloureux.

On entend soudain passer les eaux extérieures,
courant comme un cheval opaque,
avec un bruit de sabots de cheval dans l'eau,
rapides, se submergeant encore une fois dans les eaux.

Il ne reste plus alors que le temps dans les cabines :
le temps dans la pauvre salle à manger solitaire,
immobile et visible ainsi qu'un grand malheur.
Odeur de cuir, de toile profondément usés,
et d'oignons, et d'huile, et plus encore,
odeur de quelqu'un flottant dans les recoins du navire,
odeur de quelqu'un sans nom
qui descend comme une vague d'air les échelles,
et dont le corps absent traverse les couloirs,
épiant de ses yeux que préserve la mort.

Il épie avec ses yeux sans couleur, sans regard,
lentement, et il passe en tremblant, sans ombre ni présence :
les sons le froissent, les choses le traversent,
sa transparence fait briller les chaises sales.
Quel est ce fantôme sans corps de fantôme,
avec ses pas légers comme une farine nocturne.
et sa voix que seules protègent les choses ?
Les meubles voyagent pleins de son être silencieux
comme de petits bateaux à l'intérieur du vieux bateau,
chargé de son être évanoui et diffus :
les armoires, les nappes vertes des tables,
la couleur des rideaux et du sol,
tout a subi le vide lent de ses mains,
les choses sont usées par sa respiration.

Il se faufile et glisse, descend, transparent,
air dans l'air froid qui court sur le navire,
il s'appuie de ses mains occultes aux bastingages
et regarde la mer amère qui fuit derrière le navire.
Et les eaux seulement repoussent son emprise,
sa couleur, son odeur de fantôme oublié,
et fraîches et profondes elles déploient leur danse
semblables à des vies de feu, semblables au sang ou au
parfum,

elles surgissent neuves et fortes, s'unissent et se réunissent.

Les eaux sans s'épuiser, sans coutume ni temps,
vertes de quantité, efficaces et froides,
touchent le noir estomac du navire et lavent
sa matière, ses croûtes déchirées, ses rides de fer :
les eaux vivantes rongent la carcasse du navire,
déplaçant ses larges drapeaux d'écume
ses dents de sel volant en gouttes.

Le fantôme contemple la mer avec son visage sans yeux :
le cercle du jour, la toux du navire, un oiseau
dans l'équation ronde et solitaire de l'espace,
et il descend à nouveau dans la vie du bateau
tombant sur le temps mort et le bois,
glissant dans les noires cuisines et les cabines,
alenti d'air, d'atmosphère et d'espace désolé.

TANGO DU VEUF

Oh Maligne, tu as dû déjà trouver la lettre, déjà tu as dû pleurer de fureur,
tu as dû insulter le souvenir de ma mère
la traitant de chienne pourrie et de mère de chiens,
tu as dû déjà boire seule, solitaire, le thé de la tombée du jour
en regardant mes vieilles chaussures vides pour toujours
et tu ne pourras plus te souvenir de mes maladies, de mes rêves nocturnes, de mes repas,
sans me maudire à haute voix comme si j'étais encore là
à me plaindre du tropique des coolies corringhis,
des fièvres venimeuses qui m'ont fait tant de mal
et des Anglais effroyables et que je hais encore.

Maligne, en vérité, quelle nuit profonde, quelle terre esseulée !
J'ai retrouvé une fois encore les chambres solitaires,
pris dans les restaurants des repas froids, et une fois encore
je laisse tomber par terre les pantalons et les chemises,
il n'y a pas de cintres dans ma chambre, ni de portraits sur les murs.
Que d'ombre, de celle qui se trouve dans mon âme, je donnerais pour te retrouver,
et combien menaçants me semblent les noms des mois,
quel lugubre tambour le mot hiver évoque.

Enterré près du cocotier tu découvriras plus tard
le couteau que j'ai caché là de crainte que tu ne me tues,
et à présent je voudrais sentir soudain son acier de cuisine
habitué au poids de ta main et à l'éclat de ton pied :
sous l'humidité de la terre, parmi les racines sourdes,
à travers les langues humaines le pauvre seul pourrait dire
ton nom,
et la terre compacte ne comprend pas ton nom
fait d'impénétrables substances divines.

De même qu'il m'est douloureux de penser à l'éclatante
lumière de tes jambes
reposant telles des eaux solaires figées et insensibles,
à l'hirondelle qui dans tes yeux sommeille et vole en vivant,
et au chien en fureur que tu abrites dans le cœur,
de la même façon je vois les morts qui dès maintenant
s'interposent entre nous,
et je respire dans l'air la cendre et les ruines,
le long, le solitaire espace qui m'entoure pour toujours.

Je donnerais ce vent de mer géante pour ta soudaine respi-
ration
entendue au cours des longues nuits sans mélange d'oubli,
épousant l'air comme le fouet la peau du cheval.
Et pour t'écouter uriner, dans l'obscurité, au fond de la
maison,
comme si tu versais un miel fin, tremblant, argentin,
obstiné,
que de fois je livrerais ce chœur d'ombres que je possède,
et le bruit d'inutiles épées que l'on entend dans mon âme,
et la colombe de sang solitaire à mon front
appelant des choses disparues, des êtres disparus,
substances étrangement inséparables et perdues.

IV

CANTIQUES

La rose *parracial* dévore
et monte au sommet de l'image sainte :
avec des griffes épaisses elle assujettit
le temps à l'être fatigué :
elle s'enfle et souffle dans les veines dures,
lie le cordon pulmonaire, et puis
longuement elle écoute et respire.

Je désire mourir, je veux vivre,
outil, chien infini,
mouvement d'océan épais
à la surface vieille et noire.

Pour qui et vers qui dans l'ombre
grandit le son de ma guitare
naissant du sel de mon être
tel le poisson dans le sel de la mer ?

Ay, quel éternel pays fermé,
neutre, dans la zone du feu,
immobile, dans le circuit terrible,
sec, dans l'humidité des choses.

Alors, entre mes genoux,
sous la racine de mes yeux,

mon âme continue de coudre :
sa terrifiante aiguille travaille.

Je survis au milieu de la mer,
seul et si follement blessé,
subsistant, si solitaire
de douleur et d'abandon.

TRAVAIL FROID

Dis-moi, du temps, résonnant
dans ta sphère partielle et douce,
entends-tu, par hasard, le sourd gémissement ?

Ne sens-tu pas de façon lente,
l'insistante nuit qui revient,
dans un effort tremblant, avide ?

Sels desséchés et sangs aériens,
course précipitée des fleuves,
le témoin constate en tremblant.

Sombre augmentation de murs,
accroissement brusque de portes,
population d'aiguillons délirants,
implacables circulations.

Alentour, d'infinie façon,
dans une croisade interminable,
à la gueule armée, définie,
l'espace bout et se peuple.

N'entends-tu pas la constante victoire,
dans le sillon des êtres,

du temps, lent comme le feu,
et sûr, épais, herculéen,
grossissant son volume,
augmentant son fil triste ?

Comme une plante perpétuelle, grandit
son fil fin et pâle,
trempé de gouttes qui tombent
sans bruit, dans la solitude.

SYMBOLE D'OMBRES

Quel espoir imaginer, quel pur présage,
quel baiser définitif enterrer dans le cœur,
soumettre aux origines du désarroi et de l'intelligence,
doux et certain sur les vagues éternellement mouvantes ?

Quelles vitales, rapides ailes d'un nouvel ange de rêves
installer sur mes épaules endormies pour une éternelle
sécurité,
de telle sorte que le chemin parmi les étoiles de la mort
soit un vol violent entrepris depuis tant de jours et de
mois et de siècles ?

Il est possible que la faiblesse naturelle des êtres méfiants
et anxieux
cherche soudain la durée dans le temps et les limites
sur la terre,
il est possible que les fatigues et les âges amoncelés
implacablement
s'étendent comme la vague lunaire d'un océan à peine créé
sur des littoraux et des terres désertes jusqu'à l'angoisse.

Hélas, que ce que je suis continue à la fois et cesse
d'exister,
et que ma soumission s'ordonne dans de telles conditions
de fer

que le tremblement des morts et des naissances ne bouleverse pas
la profonde place que je veux me réserver éternellement.

Que demeure, donc, ce que je suis, en quelque endroit et en tout temps,
établi, et ferme et ardent témoin,
se détruisant soigneusement, se préservant sans cesse,
incontestablement engagé dans son devoir originel.

RÉSIDENCE SUR LA TERRE

II

1931-1935

I

UN JOUR SE DÉTACHE

Du sonore surgissent des nombres,
des nombres moribonds, des chiffres d'excrément,
des rayons mouillés, des éclairs sales.
Du sonore, s'amplifiant, lorsque
la nuit sort seule, comme une veuve récente,
semblable à une colombe, à un coquelicot ou un baiser,
et ses merveilleuses étoiles se dilatent.

Dans le sonore la lumière se vérifie :
les voyelles s'inondent, le sanglot tombe en pétales,
un vent de sons comme une vague retentit,
elle brille et des poissons de froid, de souplesse, l'habitent.

Poissons dans la résonance, lents, aigus, humides,
masses arquées d'or avec des gouttes sur la queue,
requins d'écaille et d'écume tremblante,
saumons bleutés aux yeux congelés.

Outils qui tombent, charrettes de légumes,
rumeurs de grappes écrasées,
violons pleins d'eau, détonations fraîches,
moteurs submergés, ombre poussiéreuse,
fabriques, baisers,
bouteilles palpitantes,

gorges,
autour de moi la nuit résonne,
le jour, le mois, le temps,
retentissant comme des sacs de cloches mouillées
ou d'effroyables bouches de sels fragiles.

Vagues de la mer, éboulements,
ongles, pas de la mer,
courants emportés d'animaux dépecés,
sirènes dans la brume rauque
définissent les sons de la douce aurore
s'éveillant sur la mer abandonnée.

Au bruit, l'âme tombe
en roulant du haut de ses rêves
encore entourée de ses colombes noires
dans sa doublure de haillons d'absence.

Au bruit l'âme accourt
et célèbre et précipite ses noces légères.

Écorces du silence, d'un bleu trouble,
tels des bocaux de sombres pharmacies closes,
silence enveloppé de chevelure,
silence galopant sur des chevaux sans pattes,
et machines endormies, et voiles sans air,
et trains de jasmin essoufflé et de cire,
et navires voûtés pleins d'ombres et d'ombrelles.

Du silence l'âme s'élève
tenant la rose de l'instant,
et s'effondre dans le matin du jour,
et se noie à plat ventre dans la lumière qui résonne.

Chaussures rudes, animaux, ustensiles,
vagues de coqs durs se répandant,

horloges travaillant comme des estomacs secs,
roues se déroulant sur des rails démontés,
et water-closets blancs s'éveillant
avec des yeux de bois, comme des colombes borgnes,
et leur gorges inondées
résonnent tout à coup comme des cataractes.

Voyez comme se soulèvent les paupières de la moisissure
et se déchaîne la serrure rouge
et la guirlande développe ses motifs,
les choses qui poussent,
les ponts aplatis par les grands tramways
grincent comme des lits avec des amours,
la nuit a ouvert ses portes de piano :
comme un cheval le jour court sur ses tribunaux.

Du sonore surgit le jour
lentement et par degré,
et aussi de violettes coupées et de rideaux,
d'étendues, d'ombre fuyant à peine
et de gouttes qui du cœur du ciel
tombent comme un sang céleste.

SEULEMENT LA MORT

Il y a des cimetières solitaires,
des tombes pleines d'os sans résonance,
le cœur traverse un tunnel
obscur, obscur, obscur,
nous mourons vers l'intérieur comme dans un naufrage,
comme si nous nous noyions dans le cœur,
comme si nous tombions de la peau à l'âme.

Il y a des cadavres,
il y a des pieds de dalle poisseuse, froide,
il y a la mort dans les os,
comme un son pur,
comme un aboiement sans chien,
sortant de quelles cloches, de quelles tombes,
grandissant dans l'humidité comme les pleurs ou la pluie.

Je vois, seul, parfois,
des cercueils à voile
lever l'ancre avec de pâles défunts, avec des femmes aux
nattes mortes,
avec des boulangers blancs comme des anges,
avec des jeunes filles pensives mariées à des notaires,
des cercueils remontant le fleuve vertical des morts,
le fleuve violet,

vers le haut, avec les voiles gonflées par le son de la mort,
gonflées par le son silencieux de la mort.

Au bruit la mort arrive
comme une chaussure sans pied, comme un costume sans homme,
elle arrive pour frapper avec une bague sans pierre et sans doigt,
elle arrive pour crier sans bouche, sans langue, sans gorge.
Cependant ses pas résonnent
et son habit résonne, silencieux comme un arbre.

Je ne sais pas, je connais peu de choses, je vois à peine,
mais je crois que son chant a une couleur de violettes humides,
de violettes accoutumées à la terre,
parce que le visage de la mort est vert,
et le regard de la mort est vert,
avec la fine humidité d'une feuille de violette
et sa grave couleur d'hiver exaspéré.

Mais la mort marche aussi à travers le monde munie d'un balai,
elle lèche le sol cherchant des défunts,
la mort est sur le balai,
c'est la langue de la mort cherchant les morts,
c'est l'aiguille de la mort cherchant le fil.
La mort est sur les lits :
sur les matelas moelleux, sur les couvertures noires
elle vit étendue, et soudain elle souffle :
elle souffle avec un son obscur qui gonfle les draps,
et il y a des lits naviguant vers un port
où elle attend, en tenue de grand amiral.

BARCAROLLE

Si seulement tu touchais mon cœur,
si seulement tu posais ta bouche sur mon cœur,
ta fine bouche, tes dents,
si tu posais ta langue comme une flèche rouge
là où bat mon cœur poussiéreux,
si tu soufflais dans mon cœur, près de la mer, en pleurant,
il résonnerait d'un bruit obscur, avec le roulement d'un
train de rêve,
comme des eaux vacillantes,
comme l'automne en feuilles,
comme le sang,
comme un bruit de flammes humides brûlant le ciel,
résonnant comme rêves, comme branches ou pluies,
comme sirènes de port triste,
si tu soufflais dans mon cœur près de la mer,
comme un fantôme blanc,
au bord de l'écume,
en plein vent,
comme un fantôme déchaîné, au bord de la mer et
pleurant.

Comme une absence prolongée, comme une cloche
soudaine,
la mer dispense le son du cœur,

lorsqu'il pleut, à la tombée du jour, sur une côte solitaire :
la nuit tombe sans doute,
et son bleu lugubre d'étendard en naufrage
se peuple de planètes en argent éraillé.

Le cœur résonne alors comme une conque amère,
il appelle, ô mer, ô lamentation, ô frayeur dissipée
éparse à travers épreuves et vagues disloquées :
dans ce tumulte la mer accentue
ses ombres étendues et ses âpres coquelicots.

Si tu existais soudain, sur une côte lugubre,
entourée du jour mort,
face à une nouvelle nuit,
pleine de vagues,
et si tu soufflais dans mon cœur froid de peur,
si tu soufflais seulement sur le sang de mon cœur,
si tu soufflais sur son mouvement de colombe en feu,
ses noires syllabes de sang résonneraient,
ses incessantes eaux rouges monteraient,
et il retentirait, retentirait d'ombres,
retentirait comme la mort,
hurlerait comme un tuyau plein de vent ou de sanglot,
ou une bouteille dont coule l'épouvante à flots.

C'est ainsi, et les éclairs envelopperaient tes nattes
et la pluie pénétrerait à travers tes yeux ouverts
pour préparer le sanglot que tu renfermes en secret,
et les ailes noires de la mer tournoieraient autour
de toi, avec de grandes griffes, et des cris et des envolées.

Veux-tu être le fantôme qui dans son stérile, dans son triste instrument
souffle solitaire, près de la mer?
Si seulement tu appelais,

son timbre prolongé, son sifflet maléfique,
son ordonnance de vagues blessées,
quelqu'un viendrait peut-être,
quelqu'un viendrait,
des cimes des îles, du fond de la mer pourpre,
quelqu'un viendrait, quelqu'un viendrait.

Quelqu'un viendrait, souffle avec fureur,
qu'il résonne comme une sirène de bateau brisé,
comme une lamentation,
comme un hennissement au milieu de l'écume et du sang,
comme une eau féroce se déchirant et résonnant.

Sur la halte marine
son coquillage d'ombre circule comme un cri,
les oiseaux de la mer le méprisent et le fuient,
ses gammes de son, ses lugubres barreaux
se dressent au bord de l'océan solitaire.

LE SUD DE L'OCÉAN

De sel consumé et de gorge en danger
sont faites les roses de l'océan solitaire,
d'eau brisée cependant,
et d'oiseaux redoutables,
et il n'y a que la nuit accompagnée
du jour, et le jour accompagné
d'un refuge, d'un
sabot, du silence.

Dans le silence le vent grandit
avec sa feuille unique et sa fleur fouettée,
et le sable qui n'a pour lui que tact et que silence,
n'est rien, il est une ombre,
une foulée errante de cheval,
il n'est rien qu'une vague accueillie par le temps,
car toutes les eaux s'en vont vers les yeux froids
du temps qui regarde sous l'océan.

Déjà ses yeux sont morts d'eau morte et de colombes,
et devenus deux trous de latitude amère
par où entrent les poissons aux dents ensanglantées
et les baleines en quête d'émeraudes,
et les squelettes de pâles chevaliers défaits
par les lentes méduses, et en outre

des mélanges divers de myrte vénéneux,
des mains isolées, des flèches,
des revolvers d'écaille,
courent interminablement sur ses joues
et dévorent ses yeux de sel destitué.

Lorsque la lune livre ses naufrages,
ses caisses, ses morts
couverts de coquelicots mâles,
lorsque tombent dans le sac de la lune
les vêtements ensevelis dans la mer,
avec leurs longs tourments et leurs barbes défaites,
leurs têtes que l'eau et l'orgueil ont pour toujours requis,
dans l'étendue on entend tomber des genoux
vers le fond de la mer apportés par la lune
dans son sac de pierre usé par les larmes
et par les morsures de poissons sinistres.

C'est vrai, c'est la lune qui descend
avec de cruelles secousses d'éponges, c'est, cependant,
la lune qui chancelle parmi les terriers,
la lune rongée par les cris de l'eau,
les ventres de la lune, ses écailles
d'acier dardé : et dès lors
elle descend au fin fond de l'océan,
bleue et bleue, transpercée par des bleus,
des bleus aveugles de matière aveugle,
traînant son chargement corrompu,
scaphandriers, bois, doigts,
pêcheuse du sang qui sur les cimes de la mer
a été répandu par de grands malheurs.

Mais je parle d'un rivage, ce rivage que la mer
fouette avec fureur et où les vagues frappent
les murs de cendre. Qu'est ceci ? Est-ce une ombre ?
Ce n'est pas l'ombre, c'est le sable de la triste république,

c'est un système d'algues, il y a des ailes, il y a
une piqûre d'insecte au cœur du ciel :
ô surface blessée par les vagues,
ô source de la mer,
si la pluie préserve tes secrets, si le vent sans fin
tue les oiseaux, si le ciel seulement,
je ne veux que mordre tes côtes et mourir,
je veux seulement regarder la bouche des pierres
d'où les secrets surgissent pleins d'écume.

C'est une région solitaire, j'ai déjà parlé
de cette région si solitaire,
où la terre est pleine d'océan,
et où il n'y a personne sinon quelques empreintes de cheval,
où il n'y a personne sinon le vent, il n'y a personne
sinon la pluie qui tombe sur les eaux de la mer,
personne que la pluie qui grandit sur la mer.

II

WALKING AROUND

Il arrive que je me lasse d'être homme.
Il arrive que j'entre chez les tailleurs et dans les cinémas
fané, impénétrable, comme un cygne de feutre
naviguant sur une eau d'origine et de cendre.

L'odeur des coiffeurs me fait pleurer à grands cris.
Je ne veux qu'un repos de pierres ou de laine,
seulement ne pas voir d'établissement ni de jardins,
ni de marchandises, ni de lunettes, ni d'ascenseurs.

Il arrive que je me lasse de mes pieds et de mes ongles
et de mes cheveux et de mon ombre.
Il arrive que je me lasse d'être homme.

Il serait cependant délicieux
d'effrayer un notaire avec un lys coupé
ou de donner la mort à une religieuse d'un coup d'oreille.
Il serait beau
d'aller par les rues avec un couteau vert
et en criant jusqu'à mourir de froid.

Je ne veux pas continuer à être une racine dans les
ténèbres,
vacillant, étendu, grelottant de rêve,

toujours plus bas, dans les pisés mouillés de la terre,
absorbant et pensant, mangeant chaque jour.

Je ne veux pas pour moi tant de malheurs.
Je ne veux plus être ni racine ni tombe,
ni souterrain solitaire, ni cave aux morts
transis, me mourant de chagrin.

Voilà pourquoi le lundi flambe comme le pétrole
lorsqu'il me voit arriver avec ma face de prison,
et il aboie dans son parcours comme une roue blessée,
et marche à pas de sang chaud vers la nuit.

Et il me pousse vers je ne sais quels coins, quels humides
logis,
vers des hôpitaux où les os sortent par la fenêtre,
vers des cordonneries à l'odeur de vinaigre,
vers des rues effroyables ainsi que des crevasses.

Il y a des oiseaux couleur de soufre et d'horribles intestins
pendant aux portes des maisons que je hais,
il y a des dentiers oubliés dans une cafetière,
il y a des miroirs
qui devraient avoir pleuré de honte et d'épouvante,
il y a de tous côtés des parapluies, et des poissons, et des
nombrils.

Je me promène paisiblement, avec des yeux, avec des
chaussures,
avec fureur, avec oubli,
je passe, je traverse des bureaux et des magasins d'ortho-
pédie,
et des cours où il y a des vêtements pendus à un fil de fer :
caleçons, serviettes et chemises qui pleurent
de longues larmes sales.

ANTI-DOSSIER

La colombe est pleine de papiers tombés,
sa poitrine est tachée de colles et de semaines,
de buvards plus blancs qu'un cadavre
et d'encres effrayées par sa couleur sinistre.

Viens avec moi à l'ombre des administrations,
vers la faible, délicate pâleur des chefs,
vers les tunnels profonds comme des calendriers,
vers la dolente roue aux mille pages.

Examinons à présent les titres et les clauses,
les dossiers spéciaux, les insomnies,
les suppliques avec leurs dents d'automne nauséabond,
la fureur de destins cendreux et de tristes décisions.

C'est un récit d'os blessés,
de circonstances amères et de vêtements interminables,
et de bas soudainement graves.
C'est la nuit profonde, la tête sans veines
d'où tombe soudain le jour
comme une bouteille brisée par un éclair.

Ce sont les pieds et les montres et les doigts
et une locomotive de savon moribond,

et un ciel aigre de métal mouillé,
et un fleuve jaune de sourires.

Tout se dirige vers la pointe de doigts semblables à des fleurs,
vers des ongles semblables à des éclairs, vers des fauteuils fanés,
tout aboutit à l'encre de la mort
et à la bouche violette des sons.

Pleurons le décès de la terre et du feu,
les épées, les raisins,
les sexes avec leurs dures emprises de racines,
les navires d'alcool naviguant entre les navires
et le parfum qui danse la nuit, à genoux,
traînant une planète de roses perforées.

Avec un vêtement de chien et une tache au front
tombons dans la profondeur des papiers,
dans la colère des paroles enchaînées,
dans les manifestations tenacement défuntes,
dans les systèmes enveloppés de feuilles jaunes.

Roulez avec moi dans les bureaux, dans l'odeur
indécise des ministères, des tombes et des estampilles.
Venez avec moi vers le jour blanc qui se meurt
en poussant des cris de fiancée assassinée.

LA RUE DÉTRUITE

Sur le fer injurié, sur les yeux du plâtre
passe une langue différente
du temps. C'est une queue
d'âpres crins, des mains de pierre pleines de colère,
et la couleur des maisons garde le silence, et les décisions
de l'architecture éclatent,
un pied terrible salit les balcons :
avec lenteur, avec une ombre accumulée,
avec des masques fouettés d'hiver et de lenteur,
les jours au front haut se promènent
parmi les maisons sans lune.

L'eau, l'habitude et la boue blanche
que l'étoile projette, et en particulier
l'air que les cloches ont frappé avec fureur
usent les choses, touchent
les roues, s'arrêtent
dans les débits de tabac,
et le poil rouge s'allonge avec les corniches
comme une longue lamentation, tandis que dans les
  profondeurs
tombent les clefs, les montres,
avec ces fleurs qui sont oubli.

Où est la violette nouveau-née? Où
la cravate et le virginal saphir rouge?
Sur les populations
une langue de poussière pourrie s'avance
brisant les anneaux, rongeant la peinture,
faisant aboyer sans voix les chaises noires,
couvrant les fleurons du ciment, les remparts
de métal détruit,
le jardin et la laine, les agrandissements de photographies
brûlantes
blessées par la pluie, la soif des alcôves, et les grandes
affiches des cinémas où luttent
la panthère et le tonnerre,
les lances du géranium, les entrepôts de miel perdu,
la toux, les vêtements d'étoffe brillante,
tout se couvre d'une saveur mortelle
de recul et d'humidité et de blessure.

Peut-être que les conversations nouées, le frôlement des
corps,
la vertu des dames fatiguées qui nichent dans la fumée,
les tomates implacablement assassinées,
le pas des chevaux d'un triste régiment,
la lumière, la pression de multiples doigts sans nom
usent la fibre plate de la chaux,
entourent d'air neutre les façades
comme des couteaux : tandis
que l'air du danger ronge les circonstances,
les briques, le sel se répand comme l'eau
et les chariots aux lourds essieux chancellent.

Vagues de roses brisées et de trous! Futur
de la veine odorante! Objets sans pitié!
Que personne ne bouge! Que personne n'ouvre les bras
dans l'eau aveugle!
Ô mouvement! Ô nom blessé à mort,

ô cuillerée de vent confus
et de couleur flagellée! Ô la blessure où tombent
jusqu'à mourir les guitares bleues!

MÉLANCOLIE DANS LA FAMILLE

Je conserve un flacon bleu,
et à l'intérieur une oreille et un portrait :
quand la nuit protège
les plumes du hibou,
quand le cerisier rauque
se déchire les lèvres et menace
avec des écorces que le vent de l'océan transperce souvent,
je sais qu'il y a de grandes étendues noyées,
du quartz en lingots,
de la vase,
des eaux bleues pour une bataille,
beaucoup de silence,
beaucoup de filons vers le passé et de camphres,
de choses tombées, médailles, tendresses,
parachutes, baisers.

Ce n'est que le pas d'un jour vers un autre,
une seule bouteille voyageant sur les mers,
et une salle à manger où arrivent des roses,
une salle à manger abandonnée
comme une épine : je me réfère
à une coupe en miettes, à un rideau, au fond
d'une salle déserte par où passe un fleuve
charriant les pierres. C'est une maison

située sur les fondements de la pluie,
une maison de deux étages avec fenêtres obligatoires
et plantes grimpantes strictement fidèles.

Je sors l'après-midi, j'arrive
plein de boue et de mort,
entraînant la terre et ses racines,
et son ventre errant où dorment
des cadavres avec du blé,
des métaux, des éléphants écroulés.

Mais par-dessus tout il y a une terrible,
une terrible salle à manger abandonnée,
avec les cruchons brisés
et le vinaigre coulant sous les chaises,
un rayon de lune suspendu,
quelque chose d'obscur, et je cherche
une comparaison en moi :
c'est peut-être une boutique entourée par la mer
et des linges déchirés dégouttant de saumure.
Ce n'est qu'une salle à manger abandonnée,
et il y a autour des étendues,
des fabriques submergées, des bois
que je suis seul à connaître,
parce que je suis triste et je voyage,
et je connais la terre, et je suis triste.

MATERNITÉ

Pourquoi te précipites-tu vers la maternité et vérifies-tu
ton acide obscur avec des grammes souvent fatals ?
L'avenir des roses est arrivé ! Le temps
du filet et de l'éclair ! Les suaves instances
des feuilles éperdument nourries !
Un fleuve aux brisures multiples
parcourt chambres et paniers
provoquant passions et malheurs
avec son lourd liquide et ses brutales gouttes.

Il s'agit d'une saison soudaine
qui envahit, qui sait quels os, ou quelles mains,
ou quels vêtements marins.

Et puisque son éclat fait varier les roses
leur donnant et le pain, les pierres et la rosée,
ô mère obscure, viens,
avec un masque à la main gauche
et les bras emplis de sanglots.

Je veux que tu passes
par des couloirs où personne n'est mort,
par une mer sans poissons,
sans écailles, sans naufrages,

par un hôtel sans pas,
un tunnel sans fumée.

Il est pour toi ce monde où personne ne naît,
et dans lequel n'existent
ni la couronne morte ni la fleur utérine,
elle est à toi cette planète pleine de pierres et de peau.
Il y a là de l'ombre pour toutes les vies.
Il y a des cercles de lait et des édifices de sang,
et des tours d'air vert.
Il y a du silence dans les murs, et de grandes vaches pâles
avec des sabots de vin.

Il y a de l'ombre là pour que persiste
la dent sur la mâchoire, une lèvre face à une autre,
et pour que ta bouche puisse parler sans mourir,
et pour que ton sang ne s'écoule en vain.

Ô mère obscure, blesse-moi
de dix couteaux dans le cœur,
vers cet endroit, vers ce temps clair,
vers ce printemps privé de cendres.

Jusqu'à ce que tu brises ses noires boiseries
appelle dans mon cœur, jusqu'à ce qu'une carte
de sang et de cheveux répandus
tache les trous et l'ombre,
frappe jusqu'à ce que pleurent ses vitres,
jusqu'à ce que se répandent ses aiguilles.

Et le sang de ses doigts ouvre des tunnels
sous la terre.

MALADIES DANS MA MAISON

Lorsque le désir de joie attise de ses dents de rose
les soufres tombés pendant de longs mois
son filet naturel, ses cheveux qui résonnent
dans mes demeures éteintes arrivent d'un pas rauque,
alors, la rose de laiton maudit
y frappe les murs de ses araignées
et le verre cassé harcèle le sang,
et les ongles du ciel s'accumulent,
de telle façon qu'on ne peut pas sortir, qu'on ne peut pas
  diriger
une affaire estimable,
la brume est telle, la brume errante chiée par les oiseaux,
la fumée transformée en vinaigre est telle
et l'air aigre qui transperce les échelles :
en cet instant où le jour tombe avec ses plumes défaites,
il n'y a que pleurs, rien que pleurs,
car tout est souffrance, seulement souffrance,
et rien que pleurs.

La mer s'est mise à frapper pour des années une patte
  d'oiseau,
et le sel frappe et l'écume dévore,
les racines d'un arbre retiennent une main de petite fille,
les racines d'un arbre plus grand qu'une main de petite
  fille,

plus grand qu'une main du ciel,
et elles travaillent toute l'année, chaque jour de lune
le sang de petite fille s'élève vers les feuilles tachées par
la lune,
et il y a une planète aux terribles dents
empoisonnant l'eau où tombent les enfants,
lorsqu'il fait nuit, et qu'il n'y a rien que la mort,
seulement la mort, et rien que pleurs.

Comme un grain de blé dans le silence, mais
à qui demander pitié pour un grain de blé ?
Voyez comme sont les choses : tant de trains,
tant d'hôpitaux avec des genoux brisés,
tant de boutiques avec des gens moribonds :
alors, comment ?, quand ?,
qui implorer pour des yeux de la couleur d'un mois froid,
et pour un cœur de la taille du blé qui chancelle ?
Il n'y a que des roues et des considérations,
des aliments distribués progressivement,
lignes d'étoiles, coupes
où rien ne tombe, sinon la nuit,
rien que la mort.

Il faut soutenir les pas brisés.
Traverser entre les toits et les tristesses tandis que flambe
une chose brûlée dans des flammes d'humidité,
une chose entre des chiffons tristes comme la pluie,
quelque chose qui flambe et sanglote,
un symptôme, un silence.
Parmi les conversations abandonnées et les objets respirés,
parmi les fleurs vides que le destin couronne et abandonne,
il y a un fleuve qui se jette dans une blessure,
il y a l'océan qui frappe l'ombre d'une flèche brisée,
il y a tout le ciel transperçant un baiser.

Aidez-moi, feuilles que mon cœur a adorées en silence,
âpres traversées, hivers du sud, chevelures
de femmes trempées dans ma sueur terrestre,
lune du sud sur un ciel effeuillé,
venez à moi avec un jour sans douleur,
avec une minute au cours de laquelle je puisse reconnaître mes veines.

Je suis las d'une goutte,
je suis blessé à un pétale seulement,
et par un trou d'épingle monte un fleuve de sang inconsolable,
et je me noie dans les eaux de la rosée qui pourrit dans l'ombre,
et pour un sourire qui ne pousse pas, pour une douce bouche,
pour des doigts que le rosier envierait
j'écris ce poème qui n'est qu'une lamentation,
seulement une lamentation.

III

ODE AVEC UNE LAMENTATION

Ô jeune fille entre les roses, avec la pression des colombes,
ô place forte de poissons et de rosiers,
ton âme est une bouteille pleine de sel assoiffé
et ta peau est une cloche pleine de raisins.

Par malheur je n'ai à te donner que des ongles
ou des cils, ou des pianos fondus,
ou des rêves qui sortent en tumulte de mon cœur,
rêves poussiéreux qui courent comme de noirs cavaliers,
pleins de vicacités et de malheurs.

Je ne peux t'aimer qu'avec des baisers et des coquelicots,
avec des guirlandes mouillées par la pluie,
en contemplant des chevaux cendreux et des chiens
jaunes.
Je ne peux t'aimer qu'avec des vagues derrière moi,
parmi ces coups de soufre, ces coups d'eaux recueillies,
nageant à contre-courant des cimetières qui coulent dans
certains fleuves
avec une herbe mouillée poussant sur les tristes tombes de
plâtre,
nageant à travers des cœurs submergés
et des pâles listes d'enfants sans sépultures.

Il y a beaucoup de mort, beaucoup d'événements funéraires
dans mes passions désemparées, dans mes baisers désolés,
il y a l'eau qui tombe dans ma tête,
pendant que mes cheveux poussent,
une eau comme le temps, une eau noire déchaînée,
avec une voix nocturne, avec un cri
d'oiseau dans la pluie, avec une interminable
ombre d'aile mouillée qui protège mes os :
tandis que je m'habille, tandis
qu'interminablement je me regarde dans les miroirs et dans les vitres,
j'entends que quelqu'un me suit m'appelant à gros sanglots
d'une voix triste, et pourrie par le temps.

Toi tu es debout sur la terre, pleine
de dents et d'éclairs.
Toi tu répands les baisers et tues les fourmis.
Toi tu pleures de santé, d'oignon, d'abeille,
d'abécédaire ardent.
Toi tu es comme une épée bleue et verte
et tu ondules quand on te touche, comme un fleuve.
Viens vers mon âme vêtue de blanc, comme un bouquet
de roses ensanglantées et de coupes de cendres,
viens avec une pomme et un cheval,
parce qu'il y a là-bas une salle obscure et un candélabre brisé,
des chaises tordues qui attendent l'hiver,
et une colombe morte, avec un numéro.

MATÉRIEL NUPTIAL

Debout comme un cerisier sans écorce ni fleurs,
particulier, enflammé, avec veines et salive,
et doigts et testicules,
je contemple une jeune fille de papier et de lune,
horizontale, tremblante et respirante et blanche,
ses mamelons comme deux chiffres séparés,
et la rencontre de rosier de ses jambes où
cille son sexe aux cils nocturnes.

Pâle, débordant,
je sens se noyer des mots dans ma bouche,
des mots comme des enfants noyés,
et vogue et vogue, les dents comme des navires,
et les eaux et la latitude comme des arsins.

Je la placerai comme une épée ou un miroir,
et j'ouvrirai jusqu'à la mort ses jambes craintives,
et je mordrai ses oreilles et ses veines,
et je la ferai reculer les yeux fermés
sur un fleuve épais de sperme vert.

Je l'inonderai de coquelicots et d'éclairs,
je l'envelopperai de genoux, de lèvres, d'aiguilles,

je la pénétrerai de parcelles d'épiderme pleurant
et d'angoisses de crime et de cheveux trempés.

Je la ferai fuir en s'échappant à travers ongles et soupirs,
vers l'impossible, vers le néant,
grimpant à la moelle lente et à l'oxygène,
s'agrippant à des souvenirs et des raisons
comme une seule main, comme un doigt coupé
agitant un ongle de sel désemparé.

Elle doit courir en dormant sur des chemins de peau
dans un pays de colle cendreuse et de cendre,
luttant avec les couteaux, et les draps, et les fourmis,
et avec des yeux qui tombent en elle comme des morts,
et avec des gouttes d'une noire matière glissante
comme des poissons aveugles ou des balles d'eau grosse.

EAU SEXUELLE

Roulant à grosses gouttes seules,
à gouttes comme des dents,
à grosses gouttes épaisses de marmelade et de sang,
roulant à grosses gouttes
l'eau tombe,
comme une épée en gouttes,
comme un déchirant fleuve de verre,
tombe en mordant,
frappant l'axe de la symétrie, collant aux coutures de
l'âme,
brisant des choses abandonnées, trempant l'obscurité.

C'est un souffle seulement, plus humide que les pleurs,
un liquide, une sueur, une huile sans nom,
un mouvement vif,
qui se fait et s'épaissit,
l'eau tombe,
à grosses gouttes lentes,
vers sa mer, vers son océan desséché,
vers sa vague sans eau.

Je vois l'été immense, et un râle sortant d'un grenier,
des récoltes, des cigales,
des agglomérations, des aiguillons,
des demeures, des petites filles

dormant les mains sur le cœur,
rêvant de bandits, d'incendies,
je vois des bateaux,
je vois des arbres de moelle
hérissés comme des chats enragés,
je vois du sang, des poignards et des bas de femme,
et des cheveux d'homme,
je vois des lits, je vois des couloirs où crie une vierge,
je vois des couvertures et des organes et des hôtels.

Je vois les rêves secrets,
j'accepte les derniers instants,
et les origines aussi, et aussi les souvenirs,
comme une paupière atrocement relevée par force
je regarde.

Et alors il y a ce son :
un bruit rouge d'os,
un accouplement de chair,
et de jambes jaunes s'unissant comme des épis.
J'écoute entre l'éclat des baisers,
j'écoute, secoué de respirations et de sanglots.

Je suis en train de regarder, écoutant,
avec la moitié de l'âme sur la mer et la moitié de l'âme
  sur la terre,
et avec les deux moitiés de l'âme je regarde le monde.

Et bien que je ferme les yeux et me couvre le cœur entièrement,
je vois tomber l'eau sourde,
à grosses gouttes sourdes.
C'est comme un ouragan de gélatine,
comme une cataracte de spermes et de méduses.
Je regarde courir un trouble arc-en-ciel.
Je vois ses eaux qui passent et traversent des os.

IV

TROIS CHANTS MATÉRIELS

ENTRÉE DANS LE BOIS

Avec un brin de raison, avec mes doigts,
avec de lentes gouttes lentes inondées,
je tombe dans l'empire des myosotis,
dans une tenace atmosphère de deuil,
dans une salle oubliée et déchue,
dans une grappe de trèfles amers.

Je tombe dans l'ombre, au milieu
des choses détruites,
et je regarde des araignées et je nourris des forêts
aux secrets aubiers inachevés,
et je marche entre les fibres humides arrachées
à l'être vivant de substance et de silence.

Douce matière, ô rose aux ailes sèches,
dans mon effondrement je monte à tes pétales
avec des pieds lourds de rouge fatigue,
et dans ta cathédrale dure je m'agenouille
heurtant mes lèvres avec un ange.

C'est que je me trouve face à ta couleur de monde,
face à tes pâles épées mortes,
face à tes cœurs rassemblés,
face à ta silencieuse multitude.

Je suis face à ta vague de parfums qui se meurent,
enveloppés d'automne et de résistance :
c'est moi qui entreprends un voyage de funérailles
entre ses cicatrices jaunes :

c'est moi avec mes lamentations sans origine,
sans aliments, tourmenté, seul,
pénétrant des couloirs obscurcis,
atteignant ta matière mystérieuse.

Je vois se déplacer tes courants asséchés,
croître des mains interrompues,
j'entends le végétal océanique
crisser de nuit et de fureur secoué,
vers le dedans je sens mourir les feuilles,
incorporant de verts matériaux
à ton immobile égarement.

Pores, veines, cercles de douceur,
poids, température silencieuse,
flèches collées à ton âme déchue,
êtres endormis dans ta bouche épaisse,
poussière de douce moelle consumée,
cendre pleine d'âmes éteintes,
venez à moi, à mon rêve démesuré,
tombez dans mon alcôve où la nuit tombe
et tombe sans cesse comme une eau brisée,
et à votre vie, à votre mort agrippez-moi,
à vos matériaux soumis,
à vos inutiles colombes mortes,
et faisons feu, et silence, et son,
et flambons, et silence, et carillon.

L'APOGÉE DU CÉLERI

Du centre pur que les bruits jamais
n'ont traversé, de la cire intacte,
surgissent de lumineux éclairs linéaires,
des colombes au destin de volutes,
vers de lointaines rues au parfum
d'ombre et de poisson.

Ce sont les veines du céleri! Ce sont l'écume, le rire,
les chapeaux du céleri!
Ce sont les marques du céleri, sa saveur
de ver luisant, ses cartes
de couleur inondée,
et sa tête d'ange vert tombe,
et ses maigres frisons se lamentent,
et les pieds du céleri entrent dans les marchés
du matin blessé, parmi les sanglots,
et les portes se ferment à son passage,
et les doux chevaux s'agenouillent.

Ses pieds sont coupés, ses yeux verts
sont répandus, les secrets et les gouttes
noyés en eux pour toujours :
les tunnels de la mer d'où ils émergent,
les escaliers que le céleri recommande,

les ombres malheureuses submergées,
les aspérités du fond de l'air,
les baisers au fond des pierres.

A minuit, avec des mains mouillées,
quelqu'un frappe à ma porte dans la brume,
et j'entends la voix du céleri, voix profonde,
âpre voix de vent emprisonné,
il se plaint blessé d'eaux et de racines,
il enfonce dans mon lit ses amers rayons,
et ses ciseaux désordonnés me frappent à la poitrine
cherchant en moi la bouche du cœur noyé.

Que veux-tu, hôte au corset fragile,
dans mes demeures funéraires?
Quelle enceinte détruite t'entoure?

Fibres d'obscurité et de lumière en pleurs,
lisérés aveugles, énergies crépues,
fleuve de vie et fibres essentielles,
vertes branches de soleil caressé,
je suis là, dans la nuit, écoutant les secrets,
les insomnies, les solitudes,
et vous entrez, au milieu de la brume noyée,
jusqu'à croître en moi, à me communiquer
la lumière obscure et la rose de la terre.

STATUT DU VIN

Lorsque sur les régions, lorsque sur les sacrifices
tombent des taches violettes comme des pluies,
le vin ouvre les portes avec étonnement,
et dans le refuge des mois s'envole
son corps aux ailes rouges et mouillées.

Ses pieds imprègnent les murs et les tuiles
d'une humidité de langues inondées,
et sur le fil du jour nu
ses abeilles tombent goutte à goutte.

Je sais que le vin ne fuit pas en criant
à l'arrivée de l'hiver,
ne se cache pas dans les églises ténébreuses
à la quête de chaleur dans des chiffons en loques,
mais qu'il vole sur la saison,
sur l'hiver qui vient d'arriver
avec un poignard entre ses durs sourcils.

Je vois des rêves indécis,
je reconnais de loin,
et je regarde face à moi, derrière les vitres,
des assemblages de linges misérables.

La balle du vin ne les atteint pas,
son coquelicot efficace, son éclair rouge
meurent noyés dans de tristes tissus,
et le vin amèrement submergé,
le vin aveugle et souterrain et solitaire
se répand à travers des rues humides, à travers des fleuves
  sans nom,
à travers des canaux solitaires.

Moi je suis debout dans son écume et ses racines,
je pleure sur son feuillage et sur ses morts,
accompagné d'oiseaux déchus
au milieu de l'hiver déshonoré,
je grimpe à des échelles d'humidité, de sang
tâtant les murs,
et dans l'angoisse du temps qui arrive
sur une pierre je m'agenouille et je pleure.

Et je m'achemine vers d'âcres tunnels
vêtu de métaux transitoires,
vers des caves solitaires, vers des rêves,
vers des bitumes verts qui palpitent,
vers des forges abandonnées,
vers des saveurs de boue et de gorge,
vers d'impérissables papillons.

Alors surgissent les hommes du vin
vêtus de ceintures violettes
et de chapeaux d'abeilles dépenaillées,
et ils apportent des coupes pleines d'yeux morts,
et de terribles épées de saumure,
et avec des trompes rauques ils se saluent
en chantant des chants d'intention nuptiale.

J'aime le chant rauque des hommes du vin,
et le bruit de monnaies mouillées sur la table,

et l'odeur de chaussures et de raisins
et de vomissures vertes :
j'aime le chant aveugle des hommes,
et ce son de sel qui frappe
les murs de l'aube moribonde.

Je parle de choses qui existent, Dieu me garde
d'inventer des choses quand je suis en train de chanter!
Je parle de la salive répandue sur les murs,
je parle de tendres bas de prostituée,
je parle du chœur des hommes du vin
qui frappent le cercueil avec un os d'oiseau.

Je suis au milieu de ce chant, au milieu
de l'hiver qui roule par les rues,
je suis au milieu des buveurs,
les yeux regardent vers des lieux oubliés,
et c'est le souvenir dans un deuil délirant,
ou bien c'est le sommeil renversé sur des cendres.

Me souvenant de nuits, de navires et de semailles,
d'amis morts, de circonstances,
d'amers hôpitaux et de jeunes filles entrouvertes :
me souvenant du choc de la vague sur un certain rocher
avec une parure de farine et d'écume,
et de la vie que l'on mène dans certains pays,
sur certaines côtes solitaires,
d'un son d'étoiles dans les palmiers,
d'un coup du cœur dans les vitres,
d'un train qui traverse sombre de roues maudites
et de beaucoup de choses tristes de ce genre.

A l'humidité du vin, aux matins,
sur les murs rongés souvent par les jours de l'hiver
qui tombent dans des caves sans doute solitaires,
à cette vertu du vin aboutissent des luttes,

et des métaux fatigués et de sourdes dentitions,
et il y a un tumulte d'objections brisées,
il y a des pleurs furieux de bouteilles,
et un crime, comme un fouet tombé.

Le vin cloue ses épines noires,
et promène ses fagots lugubres,
entre des poignards, entre des minuits,
entre de rauques gorges entraînées,
entre des cigares et des cheveux tordus,
comme la vague de la mer sa voix augmente
en aboyant des pleurs et des mains de cadavre.

Et c'est alors que le vin pourchassé court
et que se déchirent ses outres tenaces
contre les fers à cheval, et le vin voyage en silence,
et ses tonneaux, sur des bateaux blessés où l'air mord
des visages, des équipages de silence,
et le vin fuit à travers les routes,
à travers les églises, entre les charbons,
et ses plumes d'amarante tombent,
et sa bouche se masque de soufre,
et le vin va flambant dans les rues usées,
va cherchant des puits, des tunnels, des fourmis,
des bouches de morts tristes,
par où atteindre le bleu de la terre
où se confondent la pluie et les absents.

V

ODE A FEDERICO GARCIA LORCA

Si je pouvais pleurer de peur dans une maison abandonnée,
si je pouvais m'arracher les yeux et les manger,
je le ferais pour ta voix d'oranger endeuillé
et pour ta poésie qui jaillit en criant.

Parce que pour toi l'on peint en bleu les hôpitaux
et poussent les écoles, les quartiers maritimes,
et les anges blessés se peuplent de plumes,
et les poissons nuptiaux se couvrent d'écailles,
et les hérissons s'envolent vers le ciel :
pour toi les ateliers avec leurs membranes noires
se remplissent de cuillères et de sang
et avalent des ceintures déchirées, et se tuent de baisers,
et s'habillent en blanc.

Lorsque tu voles vêtu de pêches,
lorsque tu ris avec un rire de riz furieux,
lorsque tu secoues pour chanter les artères et les dents,
la gorge et les doigts,
je mourrais pour ta douceur,
je mourrais pour les lacs rouges
où tu vis au milieu de l'automne
avec un coursier déchu et un dieu ensanglanté,

je mourrais pour les cimetières
qui passent comme des fleuves cendreux
d'eau et de tombes,
la nuit, entre des cloches étouffées :
fleuves épais comme des dortoirs
de soldats malades, qui tout à coup montent
vers la mort sur des fleuves avec des numéros de marbre
et des couronnes pourries, et des huiles funéraires :
je mourrais pour te voir la nuit
regarder passer les croix noyées,
debout en pleurant,
car face au fleuve de la mort tu pleures
éperdument, douloureusement,
tu pleures en pleurant, les yeux pleins
de larmes, de larmes, de larmes.

Si je pouvais la nuit, éperdument seul,
accumuler oubli et ombre et fumée
sur les chemins de fer et les bateaux à vapeur,
avec un obscur entonnoir,
en mordant les cendres,
je le ferais pour cet arbre où tu pousses,
pour l'eau dorée des nids que tu rassembles,
et pour le liseron qui te couvre les os
et te livre le secret de la nuit.

Des villes à l'odeur d'oignon mouillé
attendent que tu passes en chantant à voix rauque,
de silencieux bateaux de sperme te poursuivent,
et des colombes vertes ont fait leur nid sur tes cheveux,
et puis des coquilles et des semaines,
des mâts torses et des cerises
circulent définitivement lorsque s'avancent
les quinze yeux de ta tête pâle
et ta bouche de sang submergée.

Si je pouvais remplir de suie les mairies
et, en sanglotant, renverser les horloges,
ce serait pour voir quand dans ta maison
survient l'été avec les lèvres déchirées,
surviennent beaucoup de personnes en tenue agonisante,
surviennent des régions de triste splendeur,
surviennent des charrues mortes et des coquelicots,
surviennent des fossoyeurs et des cavaliers,
surviennent des planètes et des cartes ensanglantées,
surviennent des plongeurs couverts de cendre,
surviennent des gens masqués traînant des jeunes filles
transpercées par de grands couteaux,
surviennent des racines, des veines, des hôpitaux,
des sources, des fourmis,
survient la nuit avec le lit
où meurt entre les araignées un hussard solitaire,
survient une rose de haine et d'épingles,
survient une embarcation jaunâtre,
survient un jour de vent avec un enfant,
quand je surviens moi-même avec Oliverio, Norah,
Vicente Aleixandre, Delia,
Maruca, Malva Marina, Maria Luisa y Larco,
la Rubia, Rafael Ugarte,
Cotapos, Rafael Alberti,
Carlos, Bebé, Manolo Altolaguirre,
Molinari,
Rosales, Concha Méndez,
et d'autres que j'oublie.
Laisse-moi te couronner, jeune homme paré de vigueur
et d'un papillon, jeune homme pur
semblable à un éclair noir perpétuellement libre,
et en bavardant entre nous,
à présent, quand il n'y a plus personne entre les rochers,
parlons simplement tel que tu es et tel que je suis :
à quoi servent les vers si ce n'est à la rosée ?

A quoi servent les vers si ce n'est pour cette nuit
où un poignard amer nous transperce, pour ce jour,
pour ce crépuscule, pour ce coin brisé
où le cœur frappé de l'homme se dispose à mourir ?

La nuit surtout,
la nuit il y a beaucoup d'étoiles,
qui sont toutes dans un fleuve
comme un ruban près des fenêtres
des maisons pleines de pauvres gens.

Parmi eux quelqu'un est mort, ils ont peut-être
perdu leurs places dans les bureaux,
dans les hôpitaux, dans les ascenseurs,
dans les mines,
les êtres souffrent obstinément blessés
et il y a des résolutions et des pleurs de tous côtés :
pendant que les étoiles coulent dans un fleuve interminable
il y a beaucoup de pleurs aux fenêtres.
il y a beaucoup de seuils usés par les pleurs,
les alcôves sont mouillées de pleurs
qui arrivent sous forme de vague pour mordre les tapis.

Federico,
tu vois le monde, les rues,
le vinaigre,
les adieux dans les gares
quand la fumée élève ses roues décisives
vers un lieu où il n'y a rien sinon
quelques barrières, quelques pierres, quelques voies
ferrées.

Il y a tant de gens qui posent des questions
de tous côtés.

Il y a l'aveugle sanglant, et l'irascible, et le découragé,
et le misérable, l'arbre des ongles,
le brigand avec la jalousie aux trousses.

Telle est la vie, Federico, tu as ici
les choses que peut t'offrir mon amitié
d'homme viril et mélancolique.
Tu sais déjà beaucoup de choses par toi-même,
et tu en apprendras d'autres lentement.

VOICI ALBERTO ROJAS JIMÉNEZ QUI VIENT EN VOLANT

Parmi les plumes qui effraient, parmi les nuits,
parmi les magnolias, parmi les télégrammes,
parmi le vent du Sud et l'Ouest marin,
te voici qui viens en volant.

Sous les tombes, sous les cendres,
sous les coquillages congelés,
sous les dernières eaux terrestres,
te voici qui viens en volant.

Plus bas, parmi les jeunes filles submergées,
et les plantes aveugles, et les poissons brisés,
plus bas, une fois encore parmi les nuages,
te voici qui viens en volant.

Au-delà du sang et des os,
au-delà du pain, au-delà du vin,
au-delà du feu,
te voici qui viens en volant.

Au-delà du vinaigre et de la mort,
parmi les putréfactions et les violettes,
avec ta voix céleste et tes chaussures humides,
te voici qui viens en volant.

Sur les mairies et les pharmacies,
et les roues, et les avocats, et les navires,
et les dents rouges que l'on vient d'arracher,
te voici qui viens en volant.

Sur les villes au toit effondré
où de grandes femmes se dénattent
avec de larges mains et des peignes perdus,
te voici qui viens en volant.

Près des caves où le vin vieillit
avec de tièdes mains troubles, en silence,
avec de lentes mains de bois rouge,
te voici qui viens en volant.

Parmi les aviateurs disparus,
auprès des canaux et des ombres,
auprès des lys blancs enterrés,
te voici qui viens en volant.

Parmi les bouteilles de couleur amère,
parmi les anneaux d'anis et de malheur,
élevant les mains et pleurant,
te voici qui viens en volant.

Sur les dentistes et les congrégations,
sur les cinémas, et les tunnels et les oreilles,
avec un habit neuf et des yeux éteints,
te voici qui viens en volant.

Sur ton cimetière sans murs
où les marins s'égarent,
tandis que tombe la pluie de ta mort,
te voici qui viens en volant.

Tandis que la pluie tombe de tes doigts,
tandis que la pluie tombe de tes os,

tandis que ta moelle et ton rire tombent,
te voici qui viens en volant.

Sur les pierres où tu te dissous
et coule, en aval de l'hiver, en aval du temps,
tandis que ton cœur descend en gouttes,
te voici qui viens en volant.

Tu n'es pas là, entouré de ciment,
et de cœurs noirs de notaires,
et d'os furieux de cavaliers :
te voici qui viens en volant.

Ô coquelicot marin, ô mon frère,
ô mon luthier vêtu d'abeilles,
je nie tant d'ombre en tes cheveux :
te voici qui viens en volant.

Tant d'ombres à ta poursuite feintes,
feintes tant de colombes mortes,
tant d'espace obscur de lamentations :
te voici qui viens en volant.

Le vent noir de Valparaiso
ouvre ses ailes de charbon et d'écume
pour balayer le ciel où tu passes :
te voici qui viens en volant.

Il y a des bateaux à vapeur, et un froid de mer morte,
et des sifflets, et des mois, et une odeur
de matin pluvieux et de poissons sales :
te voici qui viens en volant.

Il y a du rhum, toi et moi, et mon âme où je pleure,
et personne, et rien, si ce n'est un escalier
aux marches brisées, et un parapluie :
te voici qui viens en volant.

La mer est là. Je descends la nuit et je t'entends
venir en volant sous la mer désertée,
sous la mer qui m'habite, obscurcie!
te voici qui viens en volant.

J'entends tes ailes et ton vol lent,
et l'eau des morts me frappe
comme des colombes aveugles et mouillées :
te voici qui viens en volant.

Te voici qui viens en volant, seul solitaire,
seul parmi les morts, seul à jamais,
te voici qui viens en volant sans ombre et sans nom,
sans sucre, sans bouche, sans rosiers,
te voici qui viens en volant.

LE DÉTERRÉ

Hommage au comte de Villamediana.

Lorsque la terre pleine de paupières mouillées
se fera cendre et âpre air tamisé,
et que les mottes de terre sèches et les eaux,
les puits, les métaux
rendront enfin leurs morts usés,
je veux une oreille, un œil,
un cœur blessé qui retentisse,
un trou de poignard depuis longtemps enfoncé
dans un corps depuis longtemps exterminé et seul,
je veux des mains, une science d'ongles,
une bouche d'épouvante et de coquelicot agonisant,
je veux voir s'élever de la poussière inutile
un arbre rauque aux veines agitées,
je veux de la terre la plus amère,
parmi le soufre et la turquoise et les vagues rouges
et les tourbillons de charbon silencieux,
je veux d'une chair éveiller les os
qui aboient des flammes,
et je veux un flair aiguisé pour courir en quête de quelque chose,
et une vue aveuglée de terre

pour courir derrière deux yeux obscurs,
et une oreille, tout à coup, comme une huître furieuse,
rageuse, démesurée,
qui se dresse vers le tonnerre,
et un doigté pur, perdu entre des sels,
pour caresser à la ronde des seins et des lys blancs, soudainement.

Ô jour des morts! Ô distance vers laquelle
l'épi mort gît avec son parfum d'éclair,
ô galeries livrant un nid
et un poisson et une joue et une épée,
tout broyé dans les bouleversements,
tout déchu d'espérances,
tout nourri de gouffre sec
entre les dents de la terre dure.

Et la plume à son oiseau doux,
et la lune à son ruban, et le parfum à sa forme,
et, entre les roses, le déterré,
l'homme plein d'algues minérales,
et, à leurs deux trous, ses yeux s'en reviennent.

Il est nu,
ses vêtements ne sont pas dans la poussière
et son armure brisée s'est glissée au fond de l'enfer,
et sa barbe a poussé comme l'air en automne,
et même son cœur veut mordre aux pommes.

De ses genoux et de ses épaules pendent
des adhérences d'oubli, des fils du sol,
des zones de verre brisé et d'aluminium,
des peaux de cadavres amers,
des poches d'eau transformée en fer :
et des fusions de terribles bouches
répandues et bleues,

et des branches de corail tourmenté
forment une couronne sur sa tête verte,
et de tristes végétaux morts
et des bois nocturnes l'entourent,
et dorment encore en lui des colombes entrouvertes
aux yeux de ciment souterrain.

Doux comte, dans la brume,
ô à peine éveillé des mines,
ô à peine sec de l'eau sans fleuve,
ô à peine sans araignées!

Les minutes crissent dans tes pieds naissants,
ton sexe assassiné se redresse,
et tu lèves la main où vit
encore le secret de l'écume.

VI

L'HORLOGE TOMBÉE DANS LA MER

Il y a tant de sombre lumière dans l'espace
et tant de dimensions subitement jaunes,
parce que ne tombe le vent
ni les feuilles ne respirent.

C'est un jour de dimanche suspendu sur la mer,
jour comme un bateau submergé,
une goutte de temps qu'assaillent les écailles
cruellement vêtues de transparente humidité.

Il y a des mois gravement amoncelés sur une robe
que nous voulons respirer en pleurant les yeux fermés,
et il y a des années dans un seul signe aveugle de l'eau
croupie et verte,
il y a l'âge que ni les doigts ni la lumière n'ont agrippé,
beaucoup plus respectable qu'un éventail brisé,
beaucoup plus silencieux qu'un pied déterré,
il y a l'âge nuptial des jours dissous
sur une triste tombe parcourue des poissons.

Les pétales du temps tombent immensément
comme des parapluies errants semblables au ciel,
grandissant alentour, il est à peine
une cloche jamais vue,

une rose inondée, une méduse, un long
battement brisé :
mais ce n'est pas cela, c'est quelque chose qui effleure et
  dévaste à peine,
une confuse empreinte sans bruit ni oiseaux,
un évanouissement de parfums et de races.

L'horloge qui dans le champ s'est étendue sur la mousse
et a frappé une hanche de sa forme électrique
court disloquée et blessée sous l'eau redoutable
qui ondule en frémissant de courants centraux.

L'AUTOMNE REVIENT

Un jour endeuillé tombe des cloches
comme un voile tremblant de veuve errante,
c'est une couleur, un rêve
de cerises noyées dans la terre,
c'est une traînée de fumée qui arrive sans repos
pour changer la couleur de l'eau et des baisers.

Je ne sais pas si l'on me comprend : lorsque des hauteurs
s'approche la nuit, lorsque le poète solitaire
à la fenêtre entend le coursier de l'automne
et que les feuilles de la peur piétinée crissent dans ses artères,
il y a quelque chose sur le ciel, semblable à une langue de
bœuf
épais, quelque chose dans le doute du ciel et de l'atmosphère.

Les choses reprennent leur place,
l'avocat indispensable, les mains, l'huile,
les bouteilles,
tous les indices de la vie : les lits, surtout,
sont pleins d'un liquide sanglant,
les gens déposent leurs espoirs dans de sordides oreilles,
les assassins descendent des escaliers,
et ce n'est pas cela, mais bien le vieux galop,
le cheval du vieil automne qui tremble et dure.

Le cheval du vieil automne a la barbe rouge,
l'écume de la peur couvre ses joues
et l'air qui le suit a une forme d'océan,
je ne sais quel parfum de pourriture ensevelie.

Tous les jours descend du ciel une cendreuse couleur
que les colombes doivent répandre sur la terre :
la corde par l'oubli et les larmes tissée,
le temps qui a dormi tant d'années dans les cloches,
tout,
les vieux vêtements rongés, les femmes qui voient venir la neige,
les coquelicots noirs que personne ne peut contempler sans mourir,
tout tombe aux mains que j'élève
au milieu de la pluie.

IL N'Y A PAS D'OUBLI

(Sonate)

Si vous me demandez où j'étais
je dois dire : « Il arrive que ».
Je dois parler du sol que les pierres obscurcissent,
du fleuve qui en se prolongeant se détruit :
je ne connais que les choses perdues par les oiseaux,
la mer laissée en arrière, ou ma sœur qui pleure.
Pourquoi tant de régions, pourquoi un jour
se joint-il à un jour ? Pourquoi une nuit noire
s'accumule-t-elle dans la bouche ? Pourquoi des morts ?
Si vous me demandez d'où je viens, je dois parler
  avec les choses brisées,
avec des ustensiles trop amers,
avec de grandes bêtes souvent pourries
et avec mon cœur tourmenté.

Ce ne sont pas les souvenirs qui se sont croisés
ni la colombe jaunâtre qui dort dans l'oubli,
mais des visages avec des larmes,
des doigts dans la gorge,
et ce qui s'effondre des feuilles :
l'obscurité d'un jour écoulé,
d'un jour nourri de notre triste sang.

Voici des violettes, des hirondelles,
tout ce que nous aimons et qui figure
sur de douces cartes à longue traîne
où se promènent le temps et la douceur.
Mais ne pénétrons pas au-delà de ces dents,
ne mordons pas aux écorces que le silence accumule,
car je ne sais que répondre :
il y a tant de morts,
et tant de jetées que le soleil rouge transperçait,
et tant de têtes qui frappent les bateaux,
et tant de mains qui ont enfermé des baisers,
et tant de choses que je veux oublier.

JOSIE BLISS

Couleur bleue de photographies exterminées,
couleur bleue de pétales et de promenades à la mer,
un nom définitif et chu sur les semaines
avec un coup d'acier mortel.

Quelle robe, quel printemps traverse,
quelle main sans arrêt cherche des seins, des têtes?
L'évidente fumée du temps retombe en vain,
en vain les saisons,
les adieux où tombe la fumée,
les événements impétueux qui attendent avec l'épée :
soudain il y a quelque chose,
comme une attaque confuse de Peaux-Rouges,
l'horizon du sang tremble, il y a quelque chose,
quelque chose sans doute agite les rosiers.

Couleur bleue de paupières que la nuit a léchées,
étoiles de cristal éclaté, fragments
de peau et de liserons sanglotants,
couleur que le fleuve creuse en se cognant au sable,
bleu qui a préparé les grandes gouttes.
Il est possible que je continue d'exister dans une rue
que l'air fait pleurer

avec je ne sais quelle lamentation lugubre et c'est pourquoi
toutes les femmes s'habillent de bleu sourd :
j'existe dans ce jour morcelé,
j'existe là comme une pierre piétinée par un bœuf
comme un témoin sans doute oublié.

Couleur bleue d'aile d'oiseau de l'oubli,
la mer a complètement trempé les plumes,
son acide dégradé, le pâle poids de sa vague
poursuit les choses entassées dans les recoins de l'âme,
en vain la fumée frappe aux portes.

Ils sont là, ils sont là
les baisers traînés par la poussière près d'un triste navire,
ils sont là les sourires disparus, les vêtements qu'une main
secoue en appelant l'aube :
il semble que la bouche de la morte ne veut pas mordre les visages,
les doigts, les paroles, les yeux :
les voici encore comme de grands poissons qui complètent le ciel
avec leur bleu matériel vaguement invincible.

TROISIÈME RÉSIDENCE

1935-1945

I

LE NOYÉ DU CIEL

Papillon tissé, habit
pendu aux arbres,
noyé de ciel, acheminé
à travers rafales et pluies, seul, seul, compact,
parure et chevelure en lambeaux
et centres rongés par l'air.
                                        Immobile, si tu résistes
à l'aiguille rauque de l'hiver,
au fleuve d'eau irrité qui te guette. Ombre
céleste, branche de colombes
brisée la nuit parmi les fleurs mortes :
je m'arrête et je souffre
lorsque avec un son plein de froid, de lenteur
tu répands ton arc-en-ciel que l'eau frappe.

ALLIANCE

(Sonate)

Ni le cœur tranché par un verre
dans les épines en friche,
ni les eaux atroces aperçues dans les recoins
d'on ne sait quelles maisons, des eaux semblables à des
  paupières et à des yeux,
ne pourraient retenir ta taille dans mes mains
quand mon cœur dresse ses chênes
vers ton incassable fil de neige.
Sucre nocturne, esprit
des couronnes,
sang humain
                    racheté,
tes baisers
m'exilent
et une trombe d'eau mêlée aux débris de la mer
frappe les silences qui t'attendent
entourant les chaises usées, effondrant les portes.
Nuits aux axes clairs,
généreuse, matérielle, uniquement
voix, uniquement
nue chaque jour.

Sur tes seins au courant immobile,
sur tes rugueuses jambes d'eau,

sur la permanence et l'orgueil
de ton cheveu nu,
je veux demeurer, mon amour, une fois les larmes jetées
au panier rauque où elles s'amoncellent,
je veux demeurer, mon amour, seul avec une syllabe
d'argent déchirée, seul avec un sommet
de ton sein de neige.

Parfois, il n'est plus possible
de gagner sinon en perdant,
il n'est plus possible, entre deux êtres
de trembler, d'approcher la fleur du fleuve :
des fibres d'homme arrivent comme arrivent des aiguilles,
des lignes, des lambeaux,
des familles de corail repoussant, des tempêtes
et de durs pas sur des tapis
d'hiver.

Entre lèvres et lèvres il est des villes
de grande cendre et d'humide cimier,
des gouttes de quand et de comment, circulations
indéfinies :
entre lèvres et lèvres comme sur une côte
de sable et de verre, passe le vent.
Voilà pourquoi tu es infinie, recueille-moi comme si tu
étais
toute solennité, toute nocturne
comme une zone, jusqu'à ce que tu te confondes
avec les horizons du temps.

Avance dans la douceur,
viens à mon côté jusqu'à ce que les feuilles
digitales des violons
se soient tues, et que les mousses
s'enracinent dans le tonnerre, jusqu'à ce que du battement
d'une main et d'une autre main descendent les racines.

VALSE

Je touche la haine comme une poitrine diurne,
moi sans arrêt, de vêtement en vêtement j'arrive
de loin endormi.

Je ne suis, ne sers, ne connais personne,
je n'ai pas d'armes de mer ni de bois,
je ne vis pas dans cette maison.

De nuit et d'eau ma bouche est pleine.
La lune persiste et décide
de ce que je n'ai pas.

Au milieu des vagues il y a ce que j'ai.
Un rayon d'eau, un jour pour moi :
un horizon ferré.

Il n'y a pas de ressac, il n'y a pas de bouclier, il n'y a pas
de costume,
il n'y a pas d'insondable solution particulière,
ni de vicieuse paupière.

Je vis par à-coups et d'autres fois continuement.
Je touche tout à coup le visage qui m'assassine.
Je n'ai pas le temps.

Ne me cherchez pas alors en remontant
l'habituel fil sauvage ou la
sanglante plante grimpante.

Ne m'appelez pas : ma mission est celle-là.
Ne demandez pas mon nom ni mon état.
Laissez-moi au milieu de ma propre lune,
sur mon terrain blessé.

BRUXELLES

De tout ce que j'ai fait, de tout ce que j'ai perdu,
de tout ce que j'ai gagné par à-coups,
en fer amer, en feuilles, je peux offrir un peu.
Une saveur effrayée, un fleuve que les plumes
des aigles brûlants recouvrent, une recrudescence
sulfurique de pétales.

Le sel entier ne me pardonne plus
ni le pain continuel, ni la petite église dévorée
par la pluie marine, ni le charbon rongé
par l'écume secrète.

J'ai cherché et j'ai trouvé, lourdement,
sous la terre, parmi les corps redoutables,
comme une dent de bois pâle
allant et venant sous l'acide dur,
près des matériaux
de l'agonie, entre lune et couteaux,
mourant de ténèbres.

A présent, au milieu
de la vitesse méprisée, à côté
des murs sans fils,
dans l'horizon obstrué par les frontières,
je suis ici avec ce qui chute des étoiles,
végétalement, seul.

L'ABANDONNÉ

Aucun jour ne s'est-il enquis de toi, aucun jour surgi
des dents de l'aube, né du râle,
Aucun jour aux grappes signalées,
n'a-t-il cherché ta cuirasse, ta peau, ton continent
pour laver tes pieds, ta santé, ta détresse?
N'est-elle pas née pour toi seul,
pour toi seule, pour toi la cloche
avec ses graves circuits de printemps bleu :
l'étendue des cris du monde, le développement
des germes froids qui tremblent dans la terre, le silence
du navire dans la nuit, tout ce qui a vécu plein de
paupières
pour défaillir et répandre?
Je te demande :
à personne, à toi, à ce que tu es, à ton mur, au vent,
si dans l'eau du fleuve tu vois coulant vers toi
une rose magnanime de chant et de transparence
ou si dans l'assaut du printemps agressé
par le premier tremblement des cordes humaines
lorsque chantent les soldats à la lumière de la lune
envahissant l'ombre du cerisier sauvage,
tu n'as pas vu la guitare qui t'était destinée,
et la taille aveugle qui voulait t'embrasser?

Je ne sais pas, je souffre seulement de ne pas savoir qui
tu es
et d'avoir la syllabe conservée par ta bouche,
de détenir les jours les plus hauts et de les enterrer
dans le bois sous les feuilles âpres et mouillées,
parfois, protégé sous le cyclone, secoué
par les arbres les plus effrayés, par le sein
transpercé des terres profondes, tuméfié
par les derniers clous boréaux, je suis
en train de creuser au-delà des yeux humains,
au-delà des ongles du tigre, ce que mes bras recoivent,
pour le distribuer au-delà des jours glacés.

Je te cherche, je cherche ton effigie parmi les médailles
que le ciel gris modèle et abandonne,
je ne sais pas qui tu es mais je te dois tant
que la terre est pleine de mon trésor amer.
Quel sel, quelle géographie, quelle pierre ne dresse pas
son étendard secret sur ce que je protégeais ?
Quelle feuille en tombant ne fut pas pour moi un long
livre
de mots adressés et aimés par quelqu'un ?
Sous quel meuble obscur n'ai-je pas caché les plus doux
soupirs enterrés qui cherchaient des signes
et des syllabes qui n'appartinrent à personne ?

Tu es, tu es peut-être, l'homme ou la femme
ou la tendresse qui n'a rien déchiffré.
Ou peut-être n'as-tu pas étreint le firmament obscur
des êtres, l'étoile palpitante, peut-être
en marchant ne savais-tu pas que de la terre aveugle
émane le jour tout brûlant de pas qui te cherchent.
Mais nous nous trouverons désarmés et serrés
entre les dons muets de la terre finale.

NAISSANT DANS LES BOIS

Lorsque le riz retire de la terre
les grains de sa farine,
lorsque le blé durcit ses hanches multiples et lève son visage aux mille mains,
j'accours à la ramée où la femme et l'homme s'enlacent,
pour toucher la mer innombrable,
la persistance.

Je ne suis pas le frère de l'ustensile porté par la marée
comme dans un berceau par le nacre combattu :
je ne tremble pas dans la contrée des vestiges agonisants,
je ne me réveille pas dans le choc des ténèbres effrayées
par le rauque pétiole de la cloche soudaine,
cela ne se peut pas, je ne suis pas le passager
sous les chaussures de qui palpitent les derniers réduits du vent
et les vagues rigides remontent du temps afin de mourir.

Je porte dans ma main la colombe qui dort penchée sur la graine
et dans son ferment épais de chaux et de sang
Août vit,
le mois extrait de sa profonde coupe vit :

de ma main j'entoure la nouvelle ombre de l'aile qui pousse :
la racine et la plume qui demain feront l'épaisseur.

Jamais elle ne décline, ni près du balcon aux mains de fer
ni sur l'hiver maritime des abandonnés, ni sur mon pas tardif,
la croissance immense de la goutte, ni la paupière qui veut être ouverte :
parce que pour naître je suis né, pour enserrer le pas
de tout ce qui s'approche, de tout ce qui frappe à ma poitrine comme un nouveau cœur tremblant.

Vies étendues près de mon costume comme des colombes parallèles,
ou contenues dans ma propre existence et dans mon son désordonné
pour être à nouveau, pour séquestrer l'air nu de la feuille
et la naissance humide de la terre sur la guirlande : jusqu'à quand
dois-je revenir et être, jusqu'à quand le parfum
des fleurs les plus ensevelies, des vagues les plus tourmentées
sur les hautes pierres, conservera-t-il en moi sa patrie
pour être à nouveau fureur et parfum ?

Jusqu'à quand la main du bois sur la pluie
m'entourera-t-elle de toutes ses aiguilles
pour tisser les hauts baisers du feuillage ?
Une fois encore
j'écoute s'approcher comme le feu dans la fumée,
naître de la cendre terrestre,
la lumière pleine de pétales,
et écartant la terre
en un fleuve d'épis le soleil arrive à ma bouche
ainsi qu'une vieille larme enterrée redevient graine.

II

(J'ai écrit ce poème en 1934. Que de choses sont survenues depuis lors! L'Espagne où je l'ai écrit est un amas de ruines. Ah! Si seulement avec une goutte de poésie ou d'amour nous pouvions apaiser la haine du monde, mais cela, la lutte et le cœur résolu le peuvent seulement.

Le monde a changé et ma poésie a changé. Une goutte de sang tombée sur ces lignes demeurera vivante en elles, indélébile comme l'amour.

Mars 1939.)

LES FUREURS ET LES PEINES

... Il y a dans mon cœur fureurs et peines...

Quevedo.

Dans le fond du cœur nous sommes ensemble,
dans la roselière du cœur nous parcourons
un été de tigre,
à l'affût d'un mètre de peau froide,
à l'affût d'un bouquet d'inaccessible épiderme,
la bouche flairant sueur et veines vertes
nous nous rencontrons dans l'ombre humide qui laisse
  tomber des baisers.

Toi mon ennemie de tant de rêves brisés ainsi
que les plantes hérissées de verre, ainsi que les cloches
ébranlées comme une menace, de tant d'éclats
de lierre noir au milieu du parfum,

ennemie aux grandes hanches qui ont touché mon pelage
d'une rosée rauque, avec une langue d'eau,
en dépit du froid muet des dents et de la haine des yeux,
de la bataille des bêtes agonisantes qui prennent soin
de l'oubli,
je ne sais plus où dans l'été nous sommes ensemble
nous guettant de nos lèvres envahies par la soif.
S'il y a quelqu'un qui traverse
un mur avec des cercles de phosphore
et blesse le doux centre de quelques membres
et mord en criant chaque feuille d'un bois,
j'ai aussi tes yeux de sanglant ver luisant
capables d'imprégner et de traverser genoux
et gorges entourées de soie universelle.

Au cours des réunions
il y a le hasard, la cendre, les boissons,
l'air interrompu,
mais tes yeux sont là qui sentent le gibier,
le vert rayon qui perce les poitrines,
tes dents qui ouvrent les pommes desquelles tombe le
sang,
tes jambes fondant au soleil avec des gémissements,
avec tes seins de nacre et tes pieds de coquelicot,
comme des entonnoirs pleins de dents qui recherchent
l'ombre,
comme des roses faites de fouet et de parfum, et même
plus même, encore plus,
même derrière les paupières, même derrière le ciel,
même derrière les habits et les voyages, dans les rues
où les gens urinent,
tu devines les corps,
dans les aigres églises à moitié détruites, dans les cabines
que la mer porte entre les mains,
tu guettes avec tes lèvres en fleurs malgré tout,
tu brises à coups de couteau le bois et l'argent,

et grandissent tes grandes veines effrayantes :
il n'y a pas d'écorce, il n'y a distance ni fer,
tes mains touchent tes mains,
et tu tombes en faisant crépiter les fleurs noires.

Tu devines les corps!
Pareille à un insecte accablé de pouvoirs,
tu devines le centre du sang et tu surveilles
les muscles qui ajournent l'aurore, tu assailles secousses,
éclairs, têtes,
et touches longuement les jambes qui te guident.

Ô blessure faite de flèches sans pareilles!

Sens-tu l'humidité au milieu de la nuit?

Ou un vase soudain de rosiers brûlés?

Entends-tu tomber le linge, les clefs, les monnaies
dans les maisons épaisses où tu arrives nue?

Ma haine est une seule main qui te désigne
le chemin silencieux, les draps où quelqu'un a dormi
en sursaut : tu arrives
et tu roules à terre maniée et mordue,
et la vieille odeur de sperme comme une plante grimpante
de farine cendreuse se glisse dans ta bouche.

Ah! légères folles coupes et cils,
air qui inonde un fleuve entrouvert
comme une colombe unique au cours furieux
comme un attribut d'eau rebelle,
ah! substances, saveurs, paupières d'aile vivante
avec un frémissement, avec une redoutable fleur aveugle,
ah! seins graves, sévères comme des visages,

ah! grandes cuisses pleines de miel vert,
et talons et ombre de pieds, et transpirations
écoulées et surfaces de pierre pâle,
et dures vagues qui élèvent la peau vers la mort
pleines de célestes farines trempées.
Alors, ce fleuve
coule-t-il entre nous, et sur une rive
t'avances-tu en mordant des bouches?

Alors est-ce que je suis vraiment, mais vraiment loin
et un fleuve d'eau en feu passe-t-il dans la nuit?
Ah! que de fois es-tu celle que la haine ne nomme pas,
et de quelle profonde façon dans les ténèbres,
et sous quelles pluies de fumier broyé
ta statue dévore le trèfle dans mon cœur.

La haine est un marteau qui frappe ta robe
et ton front écarlate,
et les jours du cœur tombent dans tes oreilles
comme de vagues hiboux au sang perdu,
et les colliers qui goutte à goutte se formèrent de larmes
entourent ta gorge et brûlent ta voix comme la glace.

C'est afin que jamais, jamais
tu ne parles, c'est afin que jamais, jamais
ne surgisse une colombe de la langue de ta bouche,
c'est afin que les orties détruisent ta gorge
et que tu sois habitée par un âpre vent de navire.

Où te dévêts-tu?
Dans un train, près d'un Péruvien rouge
ou avec un moissonneur, entre des mottes, sous la violente
lumière du blé?
Ou cours-tu avec quels avocats au terrible regard
longuement nue, sur la rive d'eau de la nuit?

Regarde : tu ne vois ni la lune ni la jacinthe
ni l'obscur où perlent les humidités,
ni le train de vase, ni l'ivoire brisé :
tu vois des tailles fines comme l'oxygène,
des seins qui attendent accumulant du poids
et semblable au saphir d'avarice lunaire
tu palpites de ton doux nombril jusqu'aux roses.

Pourquoi oui ? Pourquoi non ? Les jours découverts
apportent un sable rouge et sans arrêt déchiré
à ces pures hélices qui consacrent le jour,
passe un mois avec carapace de tortue,
un jour stérile,
il passe un bœuf, un défunt,
une femme appelée Rosalie,
et ne demeure dans la bouche qu'une saveur de cheveux
et de langue dorée qui se nourrit de soif.
Rien sinon cette chair des êtres,
rien sinon cette coupe de racines.

Je poursuis comme dans un tunnel détruit, à une autre
extrémité
la chair et les baisers qu'injustement j'oublie,
et dans les eaux du passé lorsque les miroirs
vivifient l'abîme, lorsque la fatigue, les horloges sordides
frappent à la porte des hôtels suburbains, et que tombe
la fleur de papier peint, de velours chié par les rats et le lit
cent fois occupé par de misérables couples, lorsque
tout me dit qu'un jour est fini, toi et moi
nous avons été ensemble terrassant des corps,
bâtissant une maison qui ne dure ni ne meurt,
toi et moi nous avons parcouru ensemble un même fleuve
de bouches enchaînées pleines de sel et de sang,
toi et moi nous avons fait trembler une fois encore les
lumières vertes
et nous avons sollicité à nouveau les grandes cendres.

Je me souviens seulement d'un jour
qui peut-être jamais ne me fut destiné,
c'était un jour sans cesse,
et sans origines. Un jeudi.
J'étais un homme au hasard transporté
avec une femme vaguement rencontrée,
nous nous sommes dévêtus
comme pour mourir ou nager ou vieillir
et nous nous sommes unis l'un dans l'autre,
elle m'entourant comme un trou,
moi l'ébranlant comme qui
sonne une cloche,
car elle était le son qui me blessait
et la coupole dure à trembler décidée.

C'était une sourde science avec des cheveux et des cavernes
et broyant des rivets de moelle et de douceur
j'ai roulé vers les grandes couronnes génitales
parmi les pierres et les matières soumises.

C'est une histoire de ports où
quelqu'un arrive, par hasard, et monte aux collines,
tant de choses arrivent.

Ennemie, ennemie,
est-il possible que l'amour soit tombé en poussière
qu'il n'y ait que la chair et les os à la hâte adorés
tandis que le feu se consume
et que galopent vers l'enfer les chevaux vêtus de rouge ?

Je veux pour moi l'avoine et l'éclair
au fond de l'épiderme,
et le dévorant pétale en fureur déployé,
avec le cœur labial du cerisier de juin,
et le repos de ventres lents qui sans but flambent,

mais il me manque un sol de chaux avec des larmes,
une fenêtre où espérer l'écume.

La vie est ainsi,
toi, cours entre les feuilles, un noir
automne est arrivé,
cours vêtue d'une jupe de feuilles et d'une
ceinture de métal jaune,
pendant que l'épais brouillard de la saison ronge les
pierres.

Cours avec tes chaussures, avec tes bas,
avec le gris morcelé, avec le creux du pied, et avec ces
mains que le tabac sauvage adorerait,
frappe les marches, déchire
le papier noir qui protège les portes,
et pénètre au milieu du soleil et de la colère d'un jour de
poignards
afin de te jeter comme une colombe de neige et de deuil
sur un corps.

C'est une heure unique longue comme une veine,
et entre l'acide et la patience du temps fripé
nous nous écoulons,
écartant les mots de la peur et de la tendresse,
interminablement exterminés.

III

RÉUNION
SOUS LES NOUVEAUX DRAPEAUX

Qui a menti ? La tige du lys
brisé, insondable, obscurci, tout
empli de blessure et de splendeur obscure !
Tout, le certain de vague en vague en vague,
le tumulus incertain de l'ambre
et les âpres gouttes de l'épi !
Sur eux j'ai appuyé ma poitrine, j'ai écouté tout
le sel funeste : la nuit
je suis allé planter mes racines :
j'ai recherché ce que la terre a d'amer :
tout fut pour moi nuit ou éclair :
une cire secrète emplit ma tête
et répandit des cendres sur mes traces.

Et pour qui ai-je cherché ce pouls froid
sinon pour une mort ?
Et quel instrument ai-je perdu dans les ténèbres
désemparées, où personne ne m'entend ?
Non,
        il était temps, fuyez,
ombres de sang,
glaces d'étoile, reculez au passage des pas humains,
éloignez de mes pieds l'ombre noire !

Moi j'ai des hommes la même main blessée,
je soutiens la même coupe rouge
et le même étonnement furieux :

un jour

palpitant de rêves
humains, une sauvage
céréale a atteint
ma dévorante nuit
afin que je joigne mes pas de loup
aux pas de l'homme.

Et ainsi, assemblé,

durement central, je ne cherche pas asile
dans les creux du sanglot : je montre
la naissance de l'abeille : pain radieux
pour le fils de l'homme : dans le mystère le bleu s'apprête
à regarder un blé étranger au sang.
Où est ta place dans la rose ?
Où est ta paupière d'étoile ?
As-tu oublié ces doigts de sueur qui veulent à tout prix
atteindre le sable ?

Paix à toi, sombre soleil,

paix à toi, front aveugle,
il y a un lieu brûlant pour toi sur les chemins,
il y a des pierres sans mystère qui te regardent,
il y a des silences de prison avec une étoile folle,
nue, effrénée, contemplant l'enfer.

Ensemble, face au sanglot !

C'est l'heure

haute en terre et en parfum, regardez ce visage
à peine surgi du sel terrible,
regardez cette bouche amère qui sourit,
regardez ce nouveau cœur qui vous salue
avec sa fleur débordante, décidée et dorée.

IV

ESPAGNE AU CŒUR

HYMNE
AUX GLOIRES DU PEUPLE EN GUERRE
(1936-1937)

INVOCATION

Pour commencer, par-delà la rose
pure et généreuse, par-delà le principe
du ciel, de l'air et de la terre, la volonté d'un chant
avec des explosions, le désir
d'un chant immense, d'un métal qui recueille
la guerre et dénude le sang.
            Espagne, cristal de cristal, non diadème,
mais bien pierre broyée, tendresse combattue
de blé, de cuir et d'animal brûlant.

Demain, aujourd'hui, à travers tes pas
un silence, un étonnement d'espérances
tels une grâce souveraine : une lumière, une lune,
lune usée, lune de main en main,
de cloche en cloche!
                        Mère natale, poing
d'avoine endurcie,
                  planète
sèche et sanglante des héros!
Qui? Sur les chemins, qui,
qui, qui? Dans l'ombre, dans le sang, qui?
Dans l'éclair qui,

BOMBARDEMENT

qui ? Tombe
la cendre, tombe
le fer
et la pierre et la mort et les larmes et les flammes,
qui, qui, mon dieu, qui, où ?
Patrie sillonnée, je jure que dans tes cendres,

MALÉDICTION

je jure que de ta bouche de soif surgiront
les pétales du pain, l'épi
consacré répandu. Maudits soient-ils,
maudits, maudits ceux qui avec la hache et le serpent
atteignirent ton sable terrestre, maudits ceux
qui attendirent ce jour pour ouvrir la porte
de la demeure au maure et au bandit :
qu'avez-vous gagné ? Apportez, apportez la lampe,
voyez le sol imprégné, voyez le petit os noir
rongé par les flammes, les hardes
de l'Espagne fusillée.

L'ESPAGNE PAUVRE PAR LA FAUTE DES RICHES

Maudits ceux qui un jour
n'ont pas regardé, maudits aveugles maudits,
ceux qui ne présentèrent pas à la patrie solennelle
le pain mais les larmes, maudits
les uniformes tachés et les soutanes
des amers, des fétides chiens de fosse et de sépulture.

La pauvreté recouvrait l'Espagne
comme des chevaux pleins de fumée,
comme des pierres tombées
de la source du malheur,
champs de céréales sans
labours, caves secrètes
de bleu et d'étain, ovaires, portes, arcs
fermés, profondeurs
qui voulaient enfanter, tout était gardé
par des gardes triangulaires avec fusil,
des curés couleur de rat triste,
et les laquais du roi au cul immense.
Dure Espagne, pays de pommeraies et de pins,
tes maîtres paresseux te contraignaient :
à ne pas semer, à ne pas enfanter les mines,
à ne pas monter les vaches, à te recueillir
sur les tombes, à visiter chaque année
le monument de Christophe le marin, à hennir
des discours avec des macaques venus d'Amérique,
semblables en « position sociale » et pourriture.
N'élevez pas d'écoles, ne faites pas crisser l'écorce
terrestre avec des charrues, n'emplissez pas les greniers
de l'abondance du blé : priez, imbéciles, priez,
car un dieu au cul immense comme le cul du roi
vous attend : « Là-bas vous mangerez la soupe, mes frères. »

LA TRADITION

Dans les nuits d'Espagne, à travers les antiques jardins
la tradition, plaine de morves mortes,
dégoulinante de pus et de peste se promenait
avec une traîne de brume, comme un fantôme fantastique,
vêtue d'asthme et de creuses redingotes sanglantes,

et son visage aux yeux profonds et figés qui
étaient comme de vertes algues baveuses rongeant la
  tombe,
et sa bouche sans molaires mordait chaque nuit
l'épi sans vie, le minerai secret,
et passait avec sa couronne de chardons verts
semant de vagues os de défunt et des poignards.

MADRID (1936)

Madrid seule et solennelle, juillet t'a surprise avec ta joie
de ruche pauvre : claire était ta rue,
clair était ton rêve.
Un hoquet noir
de généraux, une vague
de soutanes rageuses
déversa entre tes genoux
ses eaux bourbeuses, ses fleuves de graillon.

Avec les yeux encore blessés de rêve,
avec fusils et pierres, Madrid, à peine blessée,
tu t'es défendue. Tu courais
à travers les rues
laissant les sillons de ton sang glorieux,
réunissant et appelant avec une voix d'océan,
avec un visage transformé pour toujours
par la lumière du sang, comme une montagne
vengeresse, comme une sifflante
étoile de couteaux.

Lorsque dans les ténébreuses garnisons, lorsque dans les
  sacristies
de la trahison ton épée pénétra resplendissante,

il n'y eut plus que ton silence d'aube, il n'y eut plus
que ton pas de drapeaux,
et une honorable goutte de sang sur ton sourire.

J'EXPLIQUE CERTAINES CHOSES

Vous allez demander : Où sont donc les lilas ?
Et la métaphysique couverte de coquelicots ?
Et la pluie qui frappait si souvent
ses paroles les remplissant
de brèches et d'oiseaux ?

Je vais vous raconter ce qui m'arrive.

Je vivais dans un quartier
de Madrid, avec des cloches,
avec des horloges, avec des arbres.

De ce quartier on apercevait
le visage sec de la Castille
ainsi qu'un océan de cuir.
Ma maison était appelée
la maison des fleurs, parce que de tous côtés
éclataient les géraniums : c'était
une belle maison
avec des chiens et des enfants.
Raoul, te souviens-tu ?
Te souviens-tu, Rafael ?
Federico, te souviens-tu
sous la terre,
te souviens-tu de ma maison et des balcons où
la lumière de juin noyait des fleurs sur ta bouche ?
Frère, frère !
Tout

n'était que cris, sel de marchandises,
agglomérations de pain palpitant,
marchés de mon quartier d'Arguelles avec sa statue
comme un encrier pâle parmi les merluches :
l'huile arrivait aux cuillères,
un profond battement
de pieds et de mains emplissait les rues,
métros, litres, essence
profonde de la vie,
                                        poissons entassés,
contexture de toits cernés d'un soleil froid dans lequel
la flèche se fatigue,
délirant ivoire des fines pommes de terre,
tomates recommencées jusqu'à la mer.

Et un matin tout était en feu
et un matin les bûchers
sortaient de terre
dévorant les êtres vivants,
et dès lors ce fut le feu,
ce fut la poudre,
et ce fut le sang.
Des bandits avec des avions, avec des maures,
des bandits avec des bagues et des duchesses,
des bandits avec des moines noirs pour bénir
tombaient du ciel pour tuer des enfants,
et à travers les rues le sang des enfants
coulait simplement, comme du sang d'enfants.

Chacals que le chacal repousserait,
pierres que le dur chardon mordrait en crachant,
vipères que les vipères détesteraient!

Face à vous j'ai vu le sang
de l'Espagne se lever

pour vous noyer dans une seule vague
d'orgueil et de couteaux!

Généraux
de trahison :
regardez ma maison morte,
regardez l'Espagne brisée :
mais de chaque maison morte surgit un métal ardent
au lieu de fleurs,
mais de chaque brèche d'Espagne
surgit l'Espagne,
mais de chaque enfant mort surgit un fusil avec des yeux,
mais de chaque crime naissent des balles
qui trouveront un jour l'endroit
de votre cœur.

Vous allez demander pourquoi sa poésie
ne parle-t-elle pas du rêve, des feuilles,
des grands volcans de son pays natal?

Venez voir le sang dans les rues,
venez voir
le sang dans les rues,
venez voir le sang
dans les rues!

CHANT AUX MÈRES DES MILICIENS MORTS

Ils ne sont pas morts! Ils sont au milieu
de la poudre,
debout, brûlant pareils à des mèches.
Leurs ombres pures se sont unies
dans la prairie couleur de cuivre
comme un rideau de vent blindé,

comme une barrière couleur de fureur,
comme le sein même, invisible, du ciel.

Mères! Ils sont debout dans le blé,
hauts comme le midi profond,
dominant les grandes plaines!
Ils sont une envolée de cloches à la voix sombre
qui à travers les corps d'acier assassiné
carillonne la victoire.
                                        Sœurs pareilles à la poussière
tombée, cœurs
brisés,
ayez foi en vos morts!
Ils ne sont pas seulement des racines
sous les pierres teintes de sang,
non seulement leurs pauvres os terrassés
définitivement travaillent dans la terre,
mais leurs bouches mordent encore la poudre sèche
et attaquent comme des océans de fer, et
leurs poings toujours dressés contredisent la mort.

Parce que de tant de corps une vie invisible
se lève. Mères, drapeaux, fils!
Un seul corps vivant comme la vie :
un visage d'yeux brisés surveille les ténèbres
avec une épée pleine d'espérances terrestres!

Quittez
vos manteaux de deuil, unissez toutes
vos larmes jusqu'à les rendre de métal :
nous sommes là pour frapper jour et nuit,
pour piétiner jour et nuit,
pour cracher jour et nuit
jusqu'à ce que tombent les portes de la haine!

Je n'oublie pas vos malheurs, je connais
vos fils

et je suis fier de leurs morts,
je suis fier aussi de leurs vies.
Leurs rires
étincelaient dans les sourds ateliers,
leurs pas dans le métro
résonnaient à mes côtés chaque jour, et près
des oranges du Levant, des filets du Sud, près
de l'encre des imprimeries, sur le cimetière des architectures
j'ai vu flamboyer leurs cœurs de feu et d'énergies.

Et de même que dans vos cœurs, mères,
il y a dans mon cœur tant de deuil et tant de mort
qu'il ressemble à une forêt
trempée du sang qui a tué leurs sourires,
et qu'en lui pénètrent les rageuses brumes de l'insomnie
avec la déchirante solitude des jours.

Mais
plus que l'imprécation contre les hyènes assoiffées, contre le râle bestial
qui d'Afrique hurle ses patentes immondes,
plus que la colère, plus que le mépris, plus que le sanglot,
mères transpercées par l'angoisse et la mort,
contemplez le cœur du noble jour qui naît,
et sachez que depuis la terre vos morts sourient
qui lèvent leurs poings au-dessus des blés.

CE QU'ÉTAIT L'ESPAGNE

L'Espagne était tendue et sèche, diurne
tambour au son opaque,
plaine et nid d'aigles, silence
fouetté d'intempérie.

Combien, jusqu'au sanglot, jusqu'à l'âme
j'aime ton âpre terre, ton maigre pain,
ton peuple pauvre, combien à l'origine
de mon être se trouve la fleur perdue de tes hameaux
fripés, de temps figés,
et tes campagnes minérales,
étendues lunaires et immémoriales
et dévorées par un dieu vide.

Toutes tes structures, ton isolement
animal joint à ton intelligence
entourée par les pierres abstraites du silence,
ton âpre vin, ton suave
vin, tes violentes
et délicates vignes.

Pierre solaire, pure entre toutes les régions
du monde, Espagne parcourue
de sang et de métaux, bleue et victorieuse,
ouvrière de pétales et de balles, seule
vivante et somnolente et sonore.

Huélamo, Carrascosa,
Alpedrete, Buitrago,
Palencia, Arganda, Galve,
Galapagar, Villalba.

Peñarrubia, Cedrillas,
Alcocer, Tamurejo,
Aguadulce, Pedrera,
Fuente Palmera, Colmenar, Sepúlveda.

Carcabuey, Fuencaliente,
Linares, Solana del Pino,
Carcelén, Alatox,
Mahora, Valdeganda.

Yeste, Riopar, Segorbe,
Orihuela, Montalbo,
Alcaraz, Caravaca,
Almendralejo, Castejón de Monegros.

Palma del Río, Peralta,
Granadella, Quintana
de la Serena, Atienza, Barahona,
Navalmoral, Oropesa.

Alborea, Monóvar,
Almansa, San Benito,
Moratalla, Montesa,
Torre Baja, Aldemuz.

Cevico Navero, Cevico de la Torre,
Albalate de las Nogueras,
Jabaloyas, Teruel,
Camporrobles, La Alberca.

Pozo Amargo, Candeleda,
Pedroñeras, Campillo de Altobuey,
Loranca de Tajuña, Puebla de la Mujer Muerta,
Torre la Cárcel, Játiva, Alcoy.

Puebla de Obando, Villar del Rey,
Beloraga, Brihuega,
Cetina, Villacañas, Palomas,
Navalcán, Henarejos, Albatana.

Torredonjimeno, Trasparga,
Agramón, Crevillente,
Poveda de la Sierra, Pedernoso,
Alcolea de Cinca, Matallanos.

Ventosa del Río, Alba de Tormes,
Horcajo Medianero, Piedrahita,

Minglanilla, Navamorcuende, Navalperal,
Navalcarnero, Navalmorales, Jorquera.

Argora, Torremocha, Argecilla,
Ojos Negros, Salvacañete, Utiel,
Laguna Seca, Cañamares, Salorino,
Aldea Quemada, Pesquera de Duero.

Fuenteovejuna, Alpedrete,
Torrejón, Benaguacil,
Valverde de Júcar, Vallanca,
Hiendelaencina, Robledo de Chavela.

Miñogalindo, Ossa de Montiel,
Méntrida, Valdepeñas, Titaguas,
Almodóvar, Gestaldar, Valdemoro,
Almoradiel, Orgaz.

ARRIVÉE A MADRID DE LA BRIGADE INTERNATIONALE

Au matin d'un mois froid,
d'un mois agonisant, maculé de boue et de fumée,
un mois sans genoux, un triste mois de siège et de malheur,
lorsque à travers les vitres trempées de ma maison l'on entendait les chacals africains
hurler avec les fusils et les dents pleines de sang, alors,
lorsque nous n'avions plus pour espérance qu'un rêve de poudre, lorsque nous croyions déjà
que le monde n'était plein que de dévorateurs monstrueux et de furies,
alors, brisant le gel du mois froid de Madrid, dans la brume

de l'aube,
j'ai vu avec ces yeux que j'ai, avec ce cœur qui regarde,
j'ai vu arriver les conquérants, les illustres combattants
de la pauvre et dure et mûre et ardente brigade de pierre.
C'était l'heure angoissée où les femmes
portaient une absence comme un charbon terrible,
et la mort espagnole, acide et aiguë plus que d'autres morts,
emplissait les champs jusque-là magnifiés par le blé.

Dans les rues, le sang brisé de l'homme s'unissait
à l'eau qui surgit du cœur détruit des maisons :
les os des enfants disparus, le déchirant silence
endeuillé des mères, les yeux
des sans-défense fermés pour toujours,
étaient pareils à la tristesse et à la perte, pareils à un jardin souillé,
c'était la foi, c'était la fleur à jamais assassinée.

Camarades,
alors
je vous ai vus,
et mes yeux sont encore maintenant emplis d'orgueil
parce que je vous ai vus au travers du matin de brume arriver sur le front pur de Castille
fermes et silencieux
comme les cloches avant l'aube,
arriver de loin et de loin pleins de solennité et d'yeux bleus,
arriver de vos cachettes, de vos patries perdues, de vos rêves
pleins de douceur brûlée et de fusils
pour défendre la cité espagnole où la liberté traquée
put tomber et mourir déchirée par les bêtes.

Frères, que dès cet instant
votre pureté et votre force, votre histoire solennelle
soient connues de l'enfant et de l'homme, de la femme et
du vieillard,
qu'elles parviennent à tous les êtres sans espérances,
qu'elles descendent dans les mines rongées par l'air
sulfurique,
qu'elles montent aux échelles inhumaines de l'esclave,
que toutes les étoiles, que tous les épis de Castille et du
monde
écrivent votre nom et l'âpreté de votre lutte
et votre puissante et terrestre victoire pareille à un chêne
rouge.

Car vous avez fait renaître par votre sacrifice
la foi perdue, l'âme absente, la confiance dans la terre,
et par votre générosité, par votre noblesse, par vos morts,
comme à travers une vallée de dures roches de sang
court un immense fleuve de colombes d'acier et d'espérance.

BATAILLE DU RIO JARAMA

Entre la terre et le platine noyé
d'oliviers et de morts espagnols,
Jarama, poignard pur, tu as résisté
à la vague des cruels.

De Madrid, vinrent à toi les hommes
au cœur doré de poudre
tel un pain de cendre et de résistance,
ils vinrent à toi.

Jarama, tu étais entre fer et fumée
semblable à une branche de cristal tombée,

semblable à une longue ligne de médailles
pour les victorieux.

Ni les tranchées ardentes de substances,
ni les colériques vols explosifs,
ni les artilleries de trouble ténèbre
ne maîtrisèrent tes eaux.

Les assoiffés de sang burent
tes eaux, burent l'eau la gueule ouverte :
l'eau espagnole et la terre des oliviers
les remplirent d'oubli.

Pour une seconde d'eau et de temps le flot
du sang des maures et des traîtres
palpitait dans ta lumière comme les poissons
d'une source amère.

L'âpre farine de ton peuple était
tout hérissée de métal et d'os,
formidable et foisonnante de blé
telle la noble terre qu'ils défendaient.

Jarama, pour parler de tes régions
de splendeur et de puissance, ma bouche
ne suffit pas, ma main est bien pâle :
tes morts sont toujours là.

Là demeurent ton ciel douloureux,
ta paix de pierre, ta source stellaire,
et les yeux éternels de ton peuple
veillent sur tes rivages.

ALMERIA

Un plat pour l'évêque, un plat trituré et amer,
un plat avec des débris de fer, avec des cendres, avec des larmes,
un plat submergé, avec des sanglots et des murs écroulés,
un plat pour l'évêque, un plat de sang d'Almeria.

Un plat pour le banquier, un plat de joues
d'enfants du Sud heureux, un plat
de détonations, d'eaux en folie, de ruines, de terreur,
un plat d'essieux brisés, de têtes piétinées,
un plat noir, un plat de sang d'Almeria.

Chaque matin, chaque matin trouble de votre vie
vous l'aurez fumant et brûlant sur votre table :
vous l'écarterez un peu de vos mains délicates
afin de ne pas le voir, afin de n'avoir pas à le digérer tant de fois :
vous l'écarterez un peu entre le pain et les raisins,
ce plat de sang silencieux
qui sera là chaque matin, chaque
matin.

Un plat pour le Colonel et l'épouse du Colonel,
à une fête de la garnison, à chaque fête,
sur les serments et les crachats, avec la lumière du vin de l'aube
afin que vous l'aperceviez tremblant et froid sur le monde.
Oui, un plat pour vous tous, riches d'ici et de là-bas,
ambassadeurs, ministres, commensaux atroces,
dames au fauteuil et au thé confortables :
un plat déchiqueté, débordant, sale de sang pauvre,
pour chaque matin, pour chaque semaine, pour toujours et à jamais,
un plat de sang d'Almeria, devant vous, pour toujours.

TERRES OFFENSÉES

Régions submergées
dans l'interminable martyr, par l'éternel
silence, pulsations
d'abeille et de roche pulvérisée,
terres qui au lieu du blé et du trèfle
portez la marque du sang sec et du crime :
opulente Galicie, pure comme la pluie,
à jamais salée par les larmes :
Estrémadure, où sur l'auguste rivage
de ciel et d'aluminium, noir comme le sillon
d'une balle, trahi et blessé et déchiqueté,
gît Badajoz sans mémoire, parmi ses fils morts
en regardant un ciel qui se souvient :
Málaga labourée par la mort
et pourchassée entre les précipices
jusqu'à ce que les mères en folie
fouettent la pierre avec leurs nouveau-nés.
Fureur, vol de deuil
et de mort et de colère,
jusqu'à ce que les larmes et le deuil réunis,
jusqu'à ce que les mots et l'évanouissement et la fureur
ne soient plus qu'un tas d'ossements sur un chemin
et une pierre enterrée par la poussière.

Il y a tant, tant
de tombes, tant de martyrs, tant
de galops de bêtes contre l'étoile !
Rien, pas même la victoire
n'effacera le gouffre terrible du sang :
rien, ni la mer, ni le pas
de sable et de temps, ni le géranium embrasé
sur la sépulture.

SANJURJO AUX ENFERS

Amarré, bouillonnant, rivé
à son avion perfide, le traître trahi
se brûle à ses trahisons.

Ses reins brûlent comme le phosphore
et sa funeste bouche de soldat
traître se consume en malédictions,

piloté par les éternelles flammes,
conduit et brûlé par des avions,
brûlé de trahison en trahison.

MOLA AUX ENFERS

Mola le mulet vicieux est traîné
de précipice en précipice éternel
et roule comme le naufrage de vague en vague,
défait par le soufre et le diable,
cuit dans la chaux et le fiel et le mensonge,
depuis toujours attendu en enfer,
l'infernal mulâtre trotte, Mola le mulet
irrémédiablement trouble et tendre,
cul et queue en proie aux flammes.

LE GÉNÉRAL FRANCO AUX ENFERS

Malheureux, ni le feu ni le vinaigre chaud
dans un nid de sorcières ardentes ni la glace dévorante,
ni la tortue putride qui aboyant et pleurant d'une voix de
femme morte te rongera le ventre

en cherchant un anneau nuptial et un jouet d'enfant égorgé,
ne seront rien pour toi qu'une porte obscure,
brisée.
En effet.
D'enfer en enfer qu'y a-t-il ? Dans l'aboiement
de tes légions, dans le lait des mères d'Espagne
sanctifié, dans le lait et les seins piétinés
sur les chemins, il y a encore un hameau, encore un silence,
une porte rasée.

Te voilà. Lugubre paupière, fiente
de sinistres poules sépulcrales, épais crachat, emblème
de trahison que le sang n'efface pas. Qui, qui es-tu,
ô misérable feuille de sel, ô chien de la terre,
ô pâleur d'ombre mal née.

La flamme sans vestige recule,
la soif saline de l'enfer, les cercles
de la douleur pâlissent.

Maudit, que seul l'humain
te poursuive, qu'à l'intérieur du feu absolu des choses,
tu ne te consumes pas, que tu ne te perdes pas
sur l'échelle du temps, et que ne te larde pas le verre ardent
ni la féroce écume.
Seul, seul, pour toutes les larmes
rassemblées, pour une éternité de mains mortes
et d'yeux pourris, seul dans une bauge
de ton enfer, te repaissant de pus et de sang silencieux
pour une éternité maudite et solitaire.
Tu n'as pas droit au sommeil
quand même tu aurais les yeux cloués d'aiguilles : tu dois
être en éveil, Général, en éveil éternellement
parmi la décomposition des jeunes mères,
mitraillées en automne. Toutes, tous les tristes enfants
déchiquetés,

figés, sont pendus dans ton enfer, et attendent
ce jour de fête froide : ton arrivée.
Enfants noircis par l'explosion,
lambeaux rouges de cervelles, galeries
de douces viscères, ils t'attendent tous, tous, dans la même attitude,
prêts à traverser la rue, à lancer le ballon,
à avaler un fruit, à sourire ou à naître.

Sourire. Il y a des sourires
déjà détruits par le sang
qui attendent avec les dents éparpillées, exterminées,
et des masques de confuse matière, visages transpercés
de poudre perpétuelle et les fantômes
sans nom, les aveugles
cachés, ceux qui ne sont jamais sortis
de leur lit de décombres. Tous t'attendent pour passer la nuit.

Ils emplissent les couloirs
semblables à des algues corrompues.
Ils sont à nous, ils furent notre
chair, notre santé, notre
paix de forges, notre océan
d'air et de poumons. A travers eux
les terres sèches fleurissaient. A présent, au-delà de la terre,
pétris de substance
détruite, de matière assassinée, de farine morte,
ils t'attendent dans ton enfer.

Comme l'atroce épouvante ou la douleur se consument,
ni l'épouvante ni la douleur ne t'attendent. Seul et maudit sois-tu,
sois seul et en éveil entre tous les morts,
et que le sang tombe sur toi comme la pluie,
et qu'un fleuve agonisant d'yeux arrachés
glisse sur toi et te parcoure en te dévisageant sans fin.

Ceci qui fut créé et dompté,
ceci qui fut humecté, utilisé, vu,
gît — pauvre mouchoir — entre les vagues
de terre et de soufre noir.
Comme le bourgeon ou le cœur
s'élèvent vers le ciel, comme la fleur surgit
de l'os détruit, ainsi les formes
du monde apparurent. Ô paupières,
Ô colonnes, Ô échelles!
Ô profondes matières
agrégées et pures : si loin encore de la cloche!
si loin encore d'être horloges! Aluminium
aux proportions bleues, ciment
ancré au rêve des êtres!
La poussière s'assemble,
le caoutchouc, la boue, les objets poussent
et les murs se dressent
pareils à des treilles d'obscure peau humaine.
A l'intérieur en blanc, en cuivre,
en feu, dans l'abandon, les papiers s'amoncelaient,
l'abominable sanglot, les ordonnances
apportées la nuit à la pharmacie pendant
que quelqu'un a la fièvre,
la tempe sèche, porte
que l'homme a construite
pour ne jamais l'ouvrir.
Tout est parti et tombé
fané d'un coup.
Outils blessés, toiles
nocturnes, écume sale, urines justement
versées, joues, verre, laine,
camphre, rouleaux de fil et de cuir, tout,
tout d'un tour de roue rendu à la poussière,
au rêve perturbé des métaux,

tout le parfum, tout ce qui a été fasciné,
tout cela assemblé dans le néant, tout abattu
pour ne jamais éclore.

Soif céleste, colombes
à la taille de farine : époques
de pollen et de grappe, voyez comme
le bois se déchire
jusqu'au deuil : il n'y a pas de racines
pour l'homme : tout repose à peine
sur un frémissement de pluie.

Voyez comme la guitare
s'est décomposée sur la bouche de l'odorante fiancée :
voyez comme les mots qui ont fait tant de choses,
ne sont plus maintenant qu'extermination : contemplez
sur la chaux et entre le marbre défait
la trace — déjà avec de la mousse — du sanglot.

LA VICTOIRE DES ARMES DU PEUPLE

Massive, comme le souvenir de la terre, comme la splendeur
de pierre du métal et comme le silence,
peuple, patrie et avoine, massive est ta victoire.

Ton drapeau transpercé s'avance
comme ta poitrine sur les cicatrices
de la terre et du temps

LES CORPORATIONS AU FRONT

Où sont les mineurs, où sont
ceux qui tressent la corde, ceux qui tannent
le cuir, ceux qui lancent le filet?
Où sont-ils?

Où sont-ils ceux qui chantaient sur le haut
de l'édifice, crachant et jurant
sur le ciment aérien?

Où sont-ils les cheminots
volontaires et nocturnes?
Où est le syndicat du ravitaillement?

Avec un fusil, avec un fusil. Entre les
bruns frémissements de la plaine,
regardant au-dessus des décombres.

Dirigeant ainsi la balle sur l'ennemi
aussi implacable que les épines
aussi implacable que les vipères.

De jour et de nuit, dans la cendre
triste de l'aube, dans la vertu
du midi calciné.

TRIOMPHE

Solennel est le triomphe du peuple,
sur son pas de grande victoire
la pomme de terre aveugle et le raisin
céleste brillent sur la terre.

PAYSAGE APRÈS UNE BATAILLE

Espace rongé, troupe fracassée
contre les céréales, fers
brisés, glacés entre le givre et les pierres,
âpre lune.

Lune de jument blessée, calcinée,
enveloppée d'épines épuisées, menaçante, os
ou métal noyé, absence, linge amer,
brume de fossoyeurs.

Derrière l'aigre nimbe de nitrates,
de substance en substance, de ruisseau en ruisseau,
aussi vifs que le blé égrené,
brûlés et rongés.

Écorce de hasard suavement suave,
cendre noire absente, répandue,
il n'est plus maintenant que froid vibrant, abominables
matériaux de pluie.

Que mes genoux le maintiennent enterré
plus encore que cette contrée fugace,
que mes paupières l'agrippent au point de désigner et de blesser,
que mon sang conserve cette saveur d'ombre
afin qu'il n'y ait pas d'oubli.

ANTI-TANKISTES

Tous rameaux de nacre rituelle, nimbes
de mer et de ciel, vent de lauriers
pour vous, gigantesques héros,
anti-tankistes.
Vous avez été dans la bouche nocturne
de la guerre
les anges du feu, les redoutables,
les purs fils de la terre.

Vous viviez, semés
dans les champs, obscurs comme la semence, tendus

dans l'attente. Et devant l'ouragan de fer,
vous avez lancé, dans la poitrine du monstre,
non seulement un éclat pâle d'explosif,
mais encore votre cœur profond et transporté de fureur,
fouet destructeur et bleu comme la poudre.
Vous vous êtes dressés,
puretés célestes contre les montagnes
de la cruauté, fils dépouillés
de la terre et de la gloire.
Vous n'avez jamais vu vous autres
auparavant que l'olive, rien d'autre que les filets
pleins d'écaille et d'argent : vous autres vous avez rassemblé
les outils, le bois, le fer
des récoltes et des constructions :
dans vos mains a fleuri la belle
grenade forestière ou l'oignon
matinal, et soudain
vous voici ici chargés d'éclairs
étreignant la gloire, éclatant
de pouvoirs furieux,
seuls et durs face aux ténèbres.

La Liberté vous a recueillis dans les mines,
et a réclamé la paix pour vos labours :
La Liberté s'est levée en pleurant
sur les chemins, elle a crié dans les couloirs
des maisons : dans les campagnes
sa voix passait entre l'orange et le vent
appelant les hommes à la poitrine mûre, et vous êtes accourus,
et vous voici, fils préférés
de la victoire, plusieurs fois tombés, vos mains
plusieurs fois disparues, les cartilages les plus secrets brisés,
vos bouches

silencieuses,
votre silence broyé
jusqu'à l'anéantissement :
mais vous surgissez soudain, au milieu
de la tourmente, encore une fois, vous et bien d'autres,
  toute
votre insondable, votre incendiaire
race de cœurs et de racines.

MADRID (1937)

En cette heure je me souviens de tout et de tous,
dans toutes les fibres de mon être, dans
ces régions profondes qui — son et plume —
existent, frappant à peine
au-delà de la terre, mais dans la terre. Aujourd'hui
commence un nouvel hiver.
Il n'y a dans cette ville,
où se trouve ce que j'aime,
il n'y a ni pain ni lumière : un froid cristal tombe
sur des géraniums fanés. La nuit, des rêves noirs
déchirés par les obus, pareils à des bœufs sanglants :
personne dans l'aube des fortifications,
sinon un chariot brisé : il n'y a plus que la mousse,
il n'y a plus que le silence des âges
à la place des hirondelles dans les maisons brûlées,
saignées, désertes, portes béantes vers le ciel :
déjà le marché commence à étaler ses pauvres émeraudes,
et les oranges, le poisson,
apportés chaque jour à prix de sang,
s'offrent aux mains de la sœur et de la veuve.
Ville de deuil, ravinée, blessée,
fracassée, frappée, lardée, pleine
de sang et de vitres brisées, ville sans nuit, toute

de nuit et de silence et de déflagrations et de héros,
désormais un nouvel hiver plus nu et plus seul,
désormais sans farine, sans pas, avec ta lune
de soldats.
De tous, oui, de tous.
Pauvre soleil, notre sang
perdu, cœur terrible déchiré et pleurant. Des larmes semblables à de lourdes balles
sont tombées sur ta terre obscure avec un bruit
de colombes qui tombent, main qui étreint
la mort pour toujours, sang de chaque jour
et de chaque nuit et de chaque semaine et de
chaque mois. Sans parler de vous, héros endormis
et éveillés, sans parler de vous qui faites trembler l'eau
et la terre par votre volonté insigne,
j'écoute en cette heure le temps dans une rue,
quelqu'un me parle, l'hiver
arrive de nouveau aux hôtels
où j'ai vécu,
tout ce que j'écoute est ville et distance
entourée par le feu comme par une écume
de vipères, assaillie par une
eau d'enfer.
Il y a déjà plus d'une année
que les hommes masqués effleurent ton humaine rive
et meurent au contact de ton sang enflammé :
des amas de maures, des amas de traîtres,
ont roulé à tes pieds de pierre : ni la fumée ni la mort
n'ont conquis tes murs en feu.
Alors,
alors, qu'y a-t-il ? Oui, ce sont les exterminateurs,
ce sont les dévorateurs : ils te guettent, ville blanche,
l'évêque au front trouble, les jeunes messieurs
fécaux et féodaux, le général
dans la main de qui tintent trente deniers :
il y a contre tes murs

un ceinturon de bigotes pluvieuses,
un escadron d'ambassadeurs putrides
et un triste hoquet de chiens militaires.

Louange à toi, louange par le nuage, par l'éclair,
par la santé, par les épées,
front sanglant dont le filet de sang
se reflète sur la terrible blessure des pierres,
pente de douceur dure,
clair berceau armé d'éclairs,
citadelle matérielle, chant de sang
d'où naissent les abeilles.
Toi qui vis aujourd'hui, Jean,
toi qui regardes aujourd'hui, Pierre, toi qui conçois, dors, manges :
aujourd'hui dans la nuit sans lumière veillant sans rêve et sans repos,
seuls sur le ciment, à travers la terre coupée,
depuis les barbelés endeuillés, au Sud, au milieu, autour,
sans ciel, sans mystère,
des hommes tels un collier de corde défendent
la ville entourée par les flammes : Madrid endurcie
par une secousse astrale, par une commotion de feu :
terre et vigile dans le haut silence
de la victoire : secouée
comme une rose brisée : entourée
de laurier infini !

ODE SOLAIRE À L'ARMÉE DU PEUPLE

Armes du peuple ! Ici ! La menace, le siège
se répandent encore sur la terre et l'enveloppent d'une mort,
âpre d'aiguillons !

Salut, salut,
salut te disent les océans du monde,
les écoles te disent salut, les vieux menuisiers,
Armée du Peuple, te disent salut, avec les épis,
le lait, les pommes de terre, le citron, le laurier,
tout ce qui est de la terre et de la bouche
de l'homme.
Tout, comme une rivière
de mains, comme une
ceinture palpitante, comme un acharnement d'éclairs,
tout s'apprête pour toi, tout converge vers toi!
Jour de fer,
bleu fortifié!
Frères, en avant,
en avant à travers les terres labourées,
en avant dans la nuit sèche et sans rêve, délirante et déchirée,
en avant entre les vignes, foulant la couleur froide des rochers,
salut, salut, continuez. Plus tranchants que la voix de l'hiver,
plus sensibles que la paupière, plus sûrs que la dague du tonnerre,
ponctuels comme le diamant fulgurant, superbes à nouveau,
guerriers pareils à l'eau acérée des terres essentielles,
pareils à la fleur et au vin, pareils au cœur en spirale de la terre,
pareils aux racines de toutes les feuilles, de toutes les marchandises odorantes de la terre.
Salut, soldats, salut, jachères rouges,
salut, trèfles durs, salut, peuples debout
dans la lumière de l'éclair, salut, salut, salut,
en avant, en avant, en avant, en avant,
sur les mines, sur les cimetières, face à l'abominable
appétit de mort, face à la terreur

échevelée des traîtres,
peuple, peuple efficace, cœur et fusils,
cœur et fusils, en avant.
Photographes, mineurs, cheminots, frères
du charbon et de la pierre, familiers du marteau,
bois, fête de joyeux coups de feu, en avant,
guérilleros, capitaines, sergents, commissaires politiques,
aviateurs du peuple, combattants de la nuit,
combattants de la mer, en avant :
face à vous
il n'y a plus qu'une chaîne mortelle, un gouffre
de poissons pourris : en avant!
il n'y a plus ici que des morts moribonds,
des terribles marécages de pus sanglant,
il n'y a pas d'ennemis : an avant, Espagne,
en avant, cloches populaires,
en avant, terres de la pomme,
en avant, étendards de céréales,
en avant, colosse du feu,
parce que dans la lutte, dans la vague, dans la prairie,
dans la montagne, dans le crépuscule chargé d'âcre parfum,
vous portez un germe d'éternité, un fil
d'âpre dureté.

Pendant ce temps,
la racine et la guirlande s'élèvent du silence
pour attendre la victoire minérale :
chaque instrument, chaque roue écarlate,
chaque manche de scie ou sillage de charrue,
chaque essence de la terre, chaque gémissement de sang
veut suivre tes pas, Armée du Peuple :
ta lumière disciplinée parvient aux pauvres hommes
oubliés, ton étoile immuable
cloue ses rayons rauques dans la mort
et engendre le regard neuf de l'espérance.

V

CHANT A STALINGRAD

Dans la nuit le paysan dort, s'éveille et enfonce
sa main dans les ténèbres interrogeant l'aurore :
aube, soleil du matin, lumière du jour qui vient,
dis-moi si les mains les plus pures des hommes
défendent encore le château de l'honneur, dis-moi, aurore,
si sur ton front l'acier brise toujours sa force,
si l'homme est à sa place, si le tonnerre est à sa place,
dis-moi, dit le paysan, si la terre n'écoute pas
comment coule le sang des héros
ensanglantés, dans la magnificence de la nuit terrestre,
dis-moi si le ciel est encore au-dessus de l'arbre,
dis-moi si la poudre résonne encore à Stalingrad.

Et le marin au milieu de la mer déchaînée regarde
en cherchant parmi les constellations humides
l'étoile, l'étoile rouge de la ville ardente,
et trouve en son cœur cette étoile qui brûle,
ses mains veulent toucher cette étoile d'orgueil,
cette étoile de sanglot, ses yeux l'édifient.

Ville, étoile rouge, disent la mer et l'homme,
ville, éteins tes lumières, ferme tes lourdes portes,
garde, ville, ton illustre laurier ensanglanté,

et que la nuit tremble du sombre éclat
de tes yeux derrière une planète d'épées.

Et l'Espagnol se souvient de Madrid et dit : ma sœur,
résiste, capitale de la gloire, résiste :
de la terre s'élève tout le sang répandu
de l'Espagne, et pour l'Espagne se dresse à nouveau,
et l'Espagnol demande près du mur
des fusillés, si Stalingrad vit :
et il y a dans la prison une chaîne d'yeux noirs
qui transpercent les murs avec ton nom,
et l'Espagne vibre de ton sang et de tes morts,
parce que tu lui as tendu ton âme, Stalingrad,
lorsque l'Espagne enfantait des héros semblables aux
tiens.
Elle connaît la solitude, l'Espagne,
comme aujourd'hui, Stalingrad, tu connais la tienne.
L'Espagne a déchiré la terre avec ses ongles
alors que Paris était plus joli que jamais.
L'Espagne saignait son immense arbre de sang
quand Londres peignait, comme nous le raconte Pedro
Garfias, son gazon et ses lacs de cygnes.

Aujourd'hui tu connais cela, puissante vierge,
aujourd'hui tu connais, Russie, la solitude et le froid.
Lorsque des milliers d'obus déchirent ton cœur, Stalingrad,
lorsque par le crime et le venin, les scorpions
accourent pour mordre tes entrailles,
New York danse, Londres médite, et moi je dis
« merde »,
parce que mon cœur n'en peut plus et que nos
cœurs
n'en peuvent plus, n'en peuvent plus
dans un monde qui laisse mourir seuls ses héros.

Vous les laissez seuls ? Votre tour viendra !
Vous les laissez seuls ?
Vous voulez que la vie
fuie vers la tombe, et que le sourire des hommes
soit effacé par la latrine et le calvaire ?
Pourquoi ne répondez-vous pas ?
Vous voulez plus de morts sur le front de l'Est
jusqu'à ce qu'ils emplissent totalement votre ciel ?
Mais alors il ne vous restera plus que l'enfer.
Le monde se fatigue des petites prouesses,
et de ce qu'à Madagascar les généraux
tuent avec héroïsme cinquante-cinq singes.

Le monde est fatigué des réunions automnales
présidées encore par un parapluie.
Ville, Stalingrad, nous ne pouvons pas
atteindre tes murailles, nous sommes loin.
Nous sommes les Mexicains, nous sommes les Araucans,
nous sommes les Patagons, nous sommes les Guaranies,
nous sommes les Uruguayens, nous sommes les Chiliens,
nous sommes des millions d'hommes.

Nous avons déjà par bonheur des proches dans la famille,
mais nous n'arrivons pas encore à te défendre, mère.
Ville, ville de feu, résiste jusqu'à ce qu'un jour
nous arrivions, Indiens naufragés, à effleurer tes murailles
d'un baiser de fils qui espéraient arriver.

Stalingrad, il n'y a pas encore de Second Front,
mais tu ne tomberas pas, même si le fer et le feu
te mordent jour et nuit.

Tu ne meurs pas, bien que tu meures !

Parce que les hommes n'ont déjà plus de mort
et doivent continuer à lutter de l'endroit où ils tombent

jusqu'à ce que la victoire ne soit plus qu'en tes mains
même si elles sont fatiguées et transpercées et mortes,
parce que d'autres mains rouges, lorsque les vôtres
  tomberont,
sèmeront à travers le monde les os de tes héros
afin que ta semence emplisse toute la terre.

NOUVEAU CHANT D'AMOUR A STALINGRAD

J'ai écrit sur le temps et sur l'eau,
j'ai décrit le deuil et son métal violet,
j'ai écrit sur le ciel et la pomme,
maintenant j'écris sur Stalingrad.

La fiancée a déjà rangé avec son mouchoir
le rayon de mon amoureux amour,
à présent mon cœur gît à terre,
dans la fumée et la lumière de Stalingrad.

J'ai touché de mes mains l'habit
du crépuscule bleu et vaincu :
à présent je touche l'aube de la vie
surgissant avec le soleil de Stalingrad.

Je sais que le jeune vieillard à la plume
périssable, comme un cygne relié,
détache son évidente douleur
grâce à mon cri d'amour pour Stalingrad.

Je mets mon âme où je veux.
Je ne me nourris pas de papier fatigué,
apprêté d'encre et d'encrier.
Je suis né pour chanter Stalingrad.

Et ma voix a été avec tes morts immenses
contre tes propres murs broyés,
ma voix a résonné, fut la cloche et le vent
en te regardant mourir, Stalingrad.

A présent les combattants américains
blancs et noirs comme les grenadiers,
tuent le serpent dans le désert.
Tu n'est plus seule, Stalingrad.

La France revient aux vieilles barricades
et son pavillon de fureur est hissé
sur les larmes à peine séchées.
Tu n'est plus seule, Stalingrad.

Et les grands lions d'Angleterre
volant sur la mer en furie
ancrent leurs griffes dans la terre obscure.
Tu n'es plus seule, Stalingrad.

Aujourd'hui sous tes montagnes d'épreuves
non seulement les tiens sont enterrés :
tremblante est la chair des morts
qui touchèrent ton front, Stalingrad.

Les mains envahisseuses sont défaites,
les yeux du soldat broyés,
les bottes qui foulèrent ta porte
sont pleines de sang, Stalingrad.

Ton acier bleu bâti d'orgueil,
ta chevelure de planètes couronnées,
ton bastion de pains partagés,
ta frontière sombre, Stalingrad.

Ta Patrie de marteaux et de lauriers,
le sang sur ta splendeur neigeuse,
le regard de Staline sur la neige
tissée de ton sang, Stalingrad.

Les décorations que tes morts
ont placées sur le sein transpercé
de la terre, et le frémissement
de la mort et de la vie, Stalingrad.

Le sel profond que tu apportes à nouveau
au cœur de l'homme tourmenté
avec la branche de capitaines rouges
issus de ton sang, Stalingrad.

L'espérance qui éclate dans les jardins
comme la fleur de l'arbre attendu,
la page gravée de fusils,
les lettres de la lumière, Stalingrad.

La tour que tu conçois dans la hauteur,
les autels de pierre ensanglantés,
les défenseurs de ton âge mûr,
les fils de ta peau, Stalingrad.

Les aigles ardents de tes pierres,
les métaux allaités par ton âme,
les adieux aux larmes immenses
et les vagues d'amour, Stalingrad.

Les os des assassins blessés à mort,
les envahisseurs aux paupières fermées,
et les conquérants fugitifs
sous ton feu, Stalingrad.

Ceux qui humilièrent la courbe de l'Arc
et ont éventré les eaux de la Seine

avec le consentement de l'esclave,
s'arrêtèrent à Stalingrad.

Ceux qui passèrent au-dessus
de Prague la Belle-aux-larmes,
interdite et trahie, piétinant ses blessures,
moururent à Stalingrad.

Ceux qui ont craché dans la grotte hellène,
sur la stalactite de cristal tronqué
et sur son classique bleu précieux,
où sont-ils à présent, Stalingrad ?

Ceux qui brûlèrent et brisèrent l'Espagne
et enchaînèrent le cœur
de cette mère de chênes et de guerriers,
pourrissent à tes pieds, Stalingrad.

Ceux qui en Hollande éclaboussèrent
de boue ensanglantée les tulipes et l'eau,
et répandirent le fouet et l'épée,
dorment à présent à Stalingrad.

Ceux qui dans la nuit blanche de Norvège
brûlèrent ce printemps gelé
avec un hurlement de chacal déchaîné,
devinrent muets à Stalingrad.

Honneur à toi pour ce que le vent sème,
pour tous les chants d'hier et pour ceux de demain,
honneur à tes mères et à tes fils
et à tes petits-fils, Stalingrad.

Honneur au combattant de la brume,
honneur au Commissaire et au soldat,
honneur au ciel au-delà de l'astre de tes nuits,
honneur au soleil de Stalingrad.

Garde-moi une parcelle de violente écume,
garde-moi un fusil, garde-moi un sillon,
et qu'on le place dans ma sépulture
avec un épis rouge de ton domaine,
pour que l'on sache, s'il subsiste quelque doute,
que je suis mort en t'aimant et que tu m'as aimé,
et que si je n'ai pas combattu dans ton enceinte
je laisse en ton honneur cette grenade obscure,
ce chant d'amour à Stalingrad.

TINA MODOTTI EST MORTE

Tina Modotti, ma sœur, tu ne dors pas, non, tu ne dors
  pas :
peut-être ton cœur entend-il éclore la rose
d'hier, la dernière rose d'hier, la rose nouvelle.
    Repose doucement, ma sœur.

La rose nouvelle est à toi, la terre nouvelle est à toi :
tu as mis une nouvelle robe de semence profonde
et ton doux silence s'emplit de racines.
    Tu ne dormiras pas en vain, ma sœur.

Pur est ton doux nom, pure est ta fragile vie.
D'abeille, d'ombre, de feu, de neige, de silence, d'écume,
d'acier, de contour, de pollen, a été construit ton inflexible,
    ton doux profil.

Le chacal sur le diamant de ton corps endormi
montre encore la plume et l'âme ensanglantée
comme si tu pouvais, ma sœur, te lever,
    en souriant sur la boue.

Dans ma patrie je t'emmène pour qu'on ne te touche pas,
dans ma patrie de neige afin que ni l'assassin,

ni le chacal, ni le traître ne touche à ta pureté :
          là tu seras tranquille.

Entends-tu un pas, un pas plein de pas, quelque chose
de grand qui vient de la steppe, du Don, du froid?
Entends-tu un pas résolu de soldat dans la neige?
          Ma sœur ce sont tes pas.

Ils passeront un jour devant ta petite tombe
avant que les roses d'hier ne soient détruites,
ceux d'un jour passeront, demain,
          où brûle ton silence.

Un monde est en marche vers le lieu où tu allais, ma
  sœur.
Les chants de ta bouche avancent chaque jour
dans la bouche du peuple glorieux que tu aimais.
          Ton cœur était courageux.

Dans les vieilles cuisines de ta patrie, sur les routes
poussiéreuses, quelque chose se dit et arrive,
quelque chose revient dans la flamme de ton peuple doré,
          quelque chose s'éveille et chante.

Ce sont les tiens, ma sœur : ceux qui aujourd'hui disent
  ton nom,
ceux qui de toutes parts, de l'eau et de la terre,
taisent et disent avec ton nom d'autres noms.
          Car le feu ne meurt pas.

7 NOVEMBRE
ODE A UN JOUR DE VICTOIRES

Ce double anniversaire, ce jour, cette nuit,
trouveront-ils par hasard un monde déserté, trouveront-
ils
un vide maladroit de cœurs désolés?
Non, plus qu'un jour avec ses heures,
c'est un pas de miroirs et d'épées,
c'est une double fleur qui frappe la nuit
jusqu'à arracher l'aube de sa vigne nocturne!

Jour d'Espagne qui arrive
du Sud, jour vigoureux
au plumage de feu,
tu viens de là-bas, du dernier qui tombe le front brisé
avec ton emblème de feu encore sur la bouche!

Et tu vas là-bas avec
le souvenir que rien n'engloutira :
tu as été le jour, tu es
la lutte, tu soutiens
la colonne invisible, l'aile
d'où va surgir, avec ton emblème, l'élan!

Sept, Novembre, où vis-tu?
Là où les pétales resplendissent, là où ton sifflement

dit au frère : monte ! et au vaincu : lève-toi !
Là où le laurier surgit du sang
et traverse la pauvre chair de l'homme et s'élève
pour façonner le héros ?

En toi, une fois encore, Union,
en toi, une fois encore, sœur des peuples du monde,
Patrie pure et soviétique, ta semence te revient
semblable à un grand feuillage répandu sur la terre !

Il n'y a pas de pleurs pour toi, Peuple, dans ta lutte !
Tout doit être de fer, tout doit cheminer et blesser,
tout, jusqu'au silence impalpable, jusqu'au doute,
jusqu'au doute même qui d'une main d'hiver
nous cherche le cœur pour le glacer et le noyer,
tout, même la joie, que tout soit de fer
pour t'aider, sœur et mère, dans la victoire !

Que celui qui renie aujourd'hui soit vomi !
Que le misérable ait aujourd'hui son châtiment à l'heure
des heures, dans le sang total,
que le lâche retourne
aux ténèbres, que les lauriers aillent à l'intrépide,
au chemin intrépide, à l'intrépide navire
de neige et de sang qui défend le monde !

Je te salue, Union Soviétique, en ce jour,
avec humilité : je suis écrivain et poète.
Mon père était cheminot : nous avons toujours été pauvres.
Hier j'étais avec toi, au loin, dans mon petit
pays aux grandes pluies. Là a grandi ton nom
chaud, brûlant dans le cœur du peuple,
jusqu'à atteindre les hauteurs et le ciel de ma république !
Je pense à eux aujourd'hui, ils sont tous avec toi !
D'atelier en atelier, de maison en maison,
ton nom vole comme un oiseau rouge !

Loués soient tes héros, et chaque goutte
de ton sang, louée
soit la houle débordante de poitrines
qui défendent ta demeure orgueilleuse et pure!

Loué soit le pain héroïque et amer
qui te nourrit, tandis que les portes du temps s'ouvrent
afin que ton armée de peuple et de fer marche en chantant
parmi la cendre et la lande dénudée sur les assassins,
afin de planter une rose grande comme la lune
dans la terre pure et divine de la victoire!

UN CHANT POUR BOLIVAR

Notre Père qui est sur la terre, sur l'eau, sur l'air
de toute notre vaste étendue silencieuse,
tout porte ton nom, père, dans notre demeure :
ton nom incite la canne à sucre à la douceur,
l'étain bolivar a un éclat bolivar,
l'oiseau bolivar sur le volcan bolivar,
la pomme de terre, le salpêtre, les ombres singulières,
les courants, les couches de pierre phosphorique,
tout ce qui est à nous vient de ta vie éteinte,
les fleuves, les plaines, les clochers furent ton héritage,
ton héritage notre pain de chaque jour, père.

Ton petit cadavre de capitaine courageux
a déployé dans l'infini sa forme métallique,
tes doigts surgissent soudain entre la neige
et le pêcheur austral tire tout à coup ton sourire à la
lumière,
ta voix palpitante entre ses filets.

De quelle couleur sera la rose qu'auprès de ton âme nous
élèverons ?
Rouge sera la rose qui rappellera ton passage.
Comment seront les mains qui recueilleront ta cendre ?
Rouges seront les mains qui naissent de ta cendre.

Et comment est la graine de ton cœur mort?
Rouge est la graine de ton cœur vivant.

Voilà pourquoi il y a aujourd'hui autour de toi une ronde de mains.
Près de ma main il y en a une autre et il y en a une autre auprès d'elle,
et une autre encore, jusqu'au fond du continent obscur.
Et une autre main que tu ne connus pas alors
arrive aussi, Bolívar, pour étreindre la tienne :
de Teruel, de Madrid, du Jarama, de l'Èbre,
de la prison, de l'air, des morts de l'Espagne
arrive cette main rouge qui est la fille de la tienne.

Capitaine, combattant, là où une bouche
crie liberté, là où une oreille écoute,
là où un soldat rouge brise un front brun,
là où un laurier d'homme libre surgit, là où un nouveau
drapeau se pare du sang de notre insigne aurore,
Bolívar, capitaine, apparaît ton visage.
Encore une fois entre poudre et fumée ton épée est en train de naître.
Encore une fois ton drapeau s'est brodé de sang.
La perversion attaque à nouveau ta semence,
le fils de l'homme est cloué sur une autre croix.

Mais ton ombre nous conduit vers l'espérance,
le laurier et la lumière de ton armée rouge
regardent par ton regard à travers la nuit d'Amérique.
Tes yeux qui veillent au-delà des mers,
au-delà des peuples opprimés et blessés,
au-delà des noires villes incendiées,
ta voix naît à nouveau, ta main naît une fois encore :
ton armée défend les drapeaux sacrés :
la Liberté agite les cloches sanglantes,
et un son terrible de souffrances précède

l'aurore rougie par le sang de l'homme.
Libérateur, un monde de paix est né dans tes bras.
La paix, le pain, le blé naquirent de ton sang,
de notre jeune sang qui est né de ton sang
surgiront paix, pain, blé pour le monde que nous ferons.

J'ai connu Bolívar par un long matin,
à Madrid, au sein du Cinquième Régiment.
Père, lui dis-je, es-tu ou n'es-tu pas ou qui es-tu?
Et regardant le Cuartel de la Montaña, il dit :
« Je m'éveille tous les cent ans quand le peuple s'éveille. »

HYMNE AUX FLEUVES D'ALLEMAGNE

Sur le Rhin, dans la nuit, l'eau porte une bouche
et la bouche une voix et la voix une larme
et une larme glisse sur tout le Rhin doré
où déjà la douceur de Loreley n'est plus,
une larme mouille les ceps cendrés
afin que le vin ait aussi une saveur de larmes.
Sur le Rhin, dans la nuit, l'eau emporte une larme,
une voix, une bouche qui l'emplit de sel.

Des pleurs trempent tout le printemps
que le fleuve a couvert de racines salées
et les larmes montent à l'arbre lentement
jusqu'à briller sur lui comme des fleurs de glace :
la mère passe et regarde sa larme dans les hauteurs,
l'homme passe et son long silence a fleuri :
le prisonnier connaît dans son martyre
ce que lui dit d'en haut le printemps.

L'Elbe a parcouru toute ta terre froide :
que peut vouloir te dire sa langue congelée ?
il se tait sous les ponts de la ville haute
et parle dans les champs, seul, taisant son message,
errant et vacillant comme un enfant perdu.

Mais l'Oder n'a ni transparence ni chant,
l'Oder roule un sang qui ne chante ni brille,
et vers le nord ses eaux portent un sang secret
et l'Océan attend son sang chaque jour :
le vieux fleuve frémit comme une artère neuve,
reçoit le témoignage du martyr et coule
pour qu'en vain notre sang ne se perde sur terre.

Les fleuves ne portent plus un pétale de froid
mais la rose sanguinaire des bourreaux
et la graine illustre de l'arbre de demain :
arbre étrange, mélange de fouet et de laurier.
Et sous la terre croît l'eau de notre vengeance
les fruits sont déposés qu'enfanta la victoire
sur les vieilles veines bleues de la terre,
pour que se purifie auprès de l'eau sanglante
le cœur de l'homme lorsqu'il naîtra de nouveau.
Allemagne Libre, qui dit
que tu ne luttes pas ? Tes morts témoignent sous la terre.
Allemagne, qui dit que tu n'es que la colère
de l'assassin ? Par qui a commencé l'assassinat ?
N'a-t-on un jour lié tes pures mains de pierre
pour les brûler ? Le bourreau n'a-t-il pas dressé
ses premiers bûchers
sur ton front pur de musique et de froid ?
N'ont-ils pas brisé le pétale le plus profond d'Europe
en l'arrachant avec le sang de ton cœur rouge ?
Quel est le combattant qui ose
toucher ta lignée de douleurs ?

Brigades
des frères allemands :
vous traversâtes tout le silence du monde
pour placer près de nous votre large poitrine,
et vos prisons étaient comme un fleuve la nuit
qui portait vers l'Espagne votre secrète voix,

car telle était la grave patrie que nous défendîmes
des loups affamés qui vous mordaient l'âme.

La voix d'Einstein était comme une voix de fleuves.
Le chant de Heine était la voix de l'eau en nous.
La voix de Mendelssohn descendait des vieilles
montagnes, pour rafraîchir nos gorges sèches.

Et la voix de Thaelmann comme un fleuve enterré
palpitait sous le sable de la bataille d'homme,
et l'on entendait toutes vos voix de cathédrales et de cours
d'eau
tomber des hauteurs rocailleuses de l'Europe
en une immense cataracte fluviale.

Tous les fleuves nous parlent de ce que tu charries.
De sourdes veines de sang traversent ton territoire
et l'âme enchaînée lutte dans ta terre.
Libre Allemagne, mère de ce fleuve secret
qui jaillit de la hache, et vient de la prison
rafraîchissant les pas du soldat invisible :
dans la nuit, dans la brume c'est ta voix étouffée
qui croît, s'unit, se fait, se répand et qui court
et chante avec ta vieille voix le chant ancien.

Un nouveau fleuve coule et profond et puissant,
Allemagne, de la torture de ton cœur,
et du plus profond du malheur ses eaux se gonflent.
La voix cachée grandit auprès des rives pourpres
et l'homme submergé se lève et se met en marche.

HYMNE A LA MORT
ET A LA RÉSURRECTION
DE LUIS COMPANYS

Lorsque à travers la colline où d'autres morts continuent
à vivre, comme des graines sanglantes et enterrées,
ton ombre a grandi et grandi au point d'éteindre l'air,
la forme de l'amande neigeuse s'est fripée,
ton pas a résonné pareil au son glacé
qui tombe d'une cathédrale congelée,
ton cœur frappait aux plus durables portes :
la demeure des capitaines morts de l'Espagne.

Jeune père tombé la fleur à la poitrine,
la fleur à la poitrine de la lumière catalane,
avec l'œillet trempé de sang inextinguible,
avec le vif coquelicot sur la lumière brisée,
ton front a pour présent l'éternité de l'homme
parmi les cœurs enterrés de l'Espagne.

Ton âme s'imprégna de l'huile virginale du hameau
et de l'âpre rosée de ta terre dorée
et toutes les racines de la Catalogne blessée
puisaient leur sang aux sources de ton âme,
les grottes étoilées, où la mer combattue
défait ses bleus sous l'écume farouche,
et l'homme et l'olivier dorment dans le parfum
que ton sang répandu a laissé sur la terre.

Permets que d'un côté à l'autre de la Catalogne rouge
et que d'un bout à l'autre de l'Espagne de pierres
les fils de la Castille ne pouvant te pleurer
te voient dans l'infini des pierres castillanes,
promènent les œillets de ta vive blessure
et trempent leurs mouchoirs dans ton sang vénéré,
les filles de Galice pleurant comme des fleuves,
les enfants gigantesques de la mine asturienne,
tous, les pêcheurs de l'Euzkadi, ceux du Sud, ceux qui ont
un autre capitaine mort à venger à Grenade,
ta patrie guerrière qui fouille le territoire
en découvrant les vieilles sources de l'Espagne.

Guérilleros de toutes les régions, salut,
touchez, touchez le sang sous la terre aimée :
c'est le même, tombé sur l'étendue pluvieuse
du Nord et sur le Sud fait d'écorce enflammée :
attaquez les mêmes ennemis amers,
élevez un seul drapeau embrasé :
unis par le sang du capitaine Companys
rassemblés dans la terre avec le sang d'Espagne!

DURE ÉLÉGIE

Madame, tu l'as rendue grande, très grande notre Amérique.
Tu lui as donné un fleuve pur d'eaux colossales :
tu lui as donné un arbre élevé aux racines infinies :
un fils à toi digne de sa patrie profonde.
Nous l'avons tous aimé près de ces fleurs
orgueilleuses qui recouvriront la terre où tu reposes,
nous avons tous désiré qu'il vienne du fond
de l'Amérique, à travers la forêt et la lande dénudée,
pour que sa noble main pleine de lauriers et d'adieux
puisse toucher ton front fatigué.

Mais d'autres sont venus à travers le temps et la terre,
madame, et l'accompagnent en cet adieu amer
tandis qu'ils te refusèrent la bouche de ton fils
et refusaient à ton fils, ce cœur enflammé que tu lui gardais.
Ils te refusèrent l'eau que tu avais créée pour ta soif,
ils détournèrent de sa bouche la source lointaine.
Et les larmes ne peuvent rien sur cette pierre brisée,
où dort une mère de feu et d'œillets.

Ombres d'Amérique, héros couronnés de fureur,
de neige, de sang, d'océan, de tempête et de colombes,

venez ici : venez voir le vide que gardait en ses yeux cette mère
pour le clair capitaine que nous attendons :
héros vivants et morts de notre grand drapeau :
O'Higgins, Juárez, Cárdenas, Recabarren, Bolívar,
Martí, Miranda, Artigas, Sucre, Hidalgo, Morelos,
Belgrano, San Martín, Lincoln, Carrera, venez
tous, remplissez le vide de votre grand frère
et que Luis Carlos Prestes sente l'air dans sa cellule,
les ailes de torrent des pères de l'Amérique.

La maison du tyran a aujourd'hui une présence
grave comme un immense ange de pierre,
la maison du tyran a aujourd'hui une visite
douloureuse et endormie comme une lune éternelle,
une mère parcourt la maison du tyran,
une mère de sanglot, de vengeance, de fleurs,
une mère de deuil, de bronze, de victoire,
regardera éternellement les yeux du tyran
jusqu'à clouer en eux notre deuil mortel.

Madame, aujourd'hui nous héritons de ta lutte et de ta peine.
Ainsi que de ton sang qui n'eut pas de repos.
Nous jurons à la terre qui aujourd'hui te reçoit,
de n'avoir rêve ni sommeil jusqu'au retour de ton fils.
Et comme sur ton sein sa tête a fait défaut
l'air que sa poitrine respirait nous fait défaut,
le ciel que sa main indiquait nous fait défaut.
Nous jurons de prolonger les veines qu'on arrête,
les flammes arrêtées qui grandissaient dans ta douleur.
Nous jurons que les pierres qui te voient t'arrêter
vont écouter les pas du héros qui revient.

Pour Prestes il n'est pas de prison qui cache son diamant.
Le tyran minuscule veut camoufler son feu
de ses petites ailes de chauve-souris froide
il s'est enveloppé du silence du rat suspect
qui pille les couloirs du nocturne palais.

Mais comme un brasier d'étincelles et d'éclats
au travers des barreaux de fer calciné
se dégage du cœur de Prestes la lumière,
pareille à l'émeraude des grandes mines du Brésil,
pareille au grand courant des fleuves du Brésil,
et pareille à nos bois à la puissante sève
surgit une statue de feuillages et d'étoiles,
un arbre de la soif des terres du Brésil.

Madame, tu as rendu grande, très grande notre Amérique.
Et ton fils enchaîné combat avec nous,
à notre côté, plein de lumière et de grandeur.
Le silence implacable de l'araignée est sans pouvoir
contre la tempête dont nous voici les héritiers.
Les lents martyrs de ce temps ne peuvent rien
contre son cœur de bois invincible.

Le fouet et l'épée que tes mains de mère
promenèrent à travers la terre comme un soleil justicier
illuminent les mains qui aujourd'hui te couvrent de terre.
Demain nous changerons ce qui a blessé ta chevelure.
Demain nous briserons la douloureuse épine.
Demain nous inonderons de lumière la ténébreuse
prison qu'il y a dans la terre.
Demain nous vaincrons.
Et notre capitaine sera avec nous.

HYMNE A L'ARMÉE ROUGE A SON ARRIVÉE AUX PORTES DE LA PRUSSE

Voici le chant entre la nuit et l'aube, voici le chant
surgi des derniers râles comme du cuir
tendu d'un tambour sanglant,
jailli des premières joies semblables à la branche
fleurie sur la neige et au rayon du soleil sur cette branche
en fleurs.

Voici les paroles qui empoignèrent ce qui agonise,
et qui syllabe après syllabe pressèrent les larmes comme
un linge taché
jusqu'à sécher les dernières humidités amères du sanglot,
et faire de toutes les armes une natte durcie,
la corde, le fil dur qui soutiennent l'aurore.

Frères, aujourd'hui nous pouvons dire : l'aube vient,
nous pouvons maintenant frapper la table avec le poing
qui soutint hier encore notre front et ses larmes.
Maintenant regardons le cristal de la tour
des neiges de notre puissante cordillère
parce que dans la hauteur orgueilleuse de ses ailes de
neige
brille l'éclat sévère d'une neige lointaine
où sont enterrées les griffes envahisseuses.

L'Armée Rouge aux portes de la Prusse. Écoutez, écoutez!
obscurs, humiliés, héros resplendissants à la couronne tombée,
écoutez! hameaux détruits et dévastés et effondrés,
écoutez! champs d'Ukraine où l'épi peut renaître avec orgueil,
écoutez! martyrisés, pendus, écoutez! guérilleros morts
rigides sous le givre avec les mains qui agrippent encore le fusil,
écoutez! jeunes filles, enfants désemparés, écoutez! cendres sacrées
de Pouchkine et de Tolstoï, de Pierre et de Souvorov,
écoutez! en cette hauteur méridienne le son
qui aux portes de la Prusse retentit comme un coup de tonnerre.

L'Armée Rouge aux portes de la Prusse. Où sont
les assassins rendus furieux, les fossoyeurs de tombes,
où sont ceux qui pendirent les mères à un sapin,
où sont les tiges à l'odeur d'extermination?
Il sont derrière les murs de leur propre maison et tremblent,
en attendant l'éclair du châtiment, et quand tous les murs tomberont
ils verront arriver le sapin et la vierge, le guérillero et l'enfant,
ils verront arriver les vivants et les morts pour les juger.

Écoutez, Tchécoslovaques, préparez les tenailles
les plus dures et les gibets, et les cendres de Lidice
afin qu'elles soient avalées demain par le bourreau;
écoutez, travailleurs impatients de France, préparez vos fleuves immortels
afin que naviguent en eux les envahisseurs noyés.

Préparez la vengeance, Espagnols, derrière la sierra
et près de l'ardente côte du Sud,
nettoyez la petite carabine oxydée car
le jour est arrivé.

Voici le chant du jour qui naît et de la nuit qui s'achève.
Écoutez-le bien, et que de la souffrance endurcie surgisse
la voix sûre
qui ne pardonne pas, et que le bras qui châtie ne tremble
pas.
Avant d'entonner demain les chants de la piété humaine
vous avez encore le temps de connaître les terres imprégnées de martyre.
Ne hissez pas demain le drapeau du pardon
sur les fils maudits du loup et les frères du serpent,
sur ceux qui épuisèrent jusqu'à la dernière lame du couteau et anéantirent la rose.

Voici le chant du printemps caché
sous les terres de Russie, sous les étendues
de taïga et de neige, voici la parole
qui monte de la racine enterrée jusqu'à la gorge.
De la racine recouverte par tant d'angoisse, de la tige
brisée
par l'hiver le plus amer de la terre, par l'hiver
du sang sur la terre.

Mais les choses passent, et du fond
de la terre le nouveau printemps est en marche.
Regardez les canons qui fleurissent à l'entrée de la Prusse.
Regardez les mitrailleuses et les tanks qui
à cette heure débarquent à Marseille.
Écoutez le cœur âpre de la Yougoslavie.
palpitant une fois encore dans la poitrine de l'Europe
vidée de son sang.

Les yeux espagnols regardent vers nous, vers le Mexique
et le Chili,
car ils attendent le retour de leurs frères en errance.

Quelque chose est dans le monde, comme un souffle
qu'entre les vagues de la poudre nous ne sentions pas
auparavant.

Voici le chant de ce qui arrive et de ce qui sera.
Voici le chant de la pluie qui est tombée sur la campagne
comme une immense larme de sang et de plomb.
Aujourd'hui que l'Armée Rouge frappe aux portes de la
Prusse
j'ai voulu chanter pour vous autres, pour toute la terre,
ce chant de paroles obscures,
afin que nous soyons dignes de la lumière qui arrive.

LA VIE ET L'ŒUVRE DE PABLO NERUDA

Pablo Neruda naît à Parral (Chili) le 12 juillet 1904. Son père, veuf un mois plus tard, s'installe à Temuco et se remarie en 1906. Études au lycée de Temuco jusqu'en 1920. Humanités à la faculté des lettres de Santiago. 1924, première édition de *Veinte poemas de amor y una canción desesperada*, dont le tirage atteint aujourd'hui deux millions d'exemplaires. 1927, il est nommé consul à Rangoun (Birmanie). C'est le début d'une longue carrière consulaire qui le mènera partout dans le monde : Colombo, Calcutta, Java (où il se marie en 1930), Singapour, Barcelone, Madrid. De ce périple solitaire naît *Residencia en la tierra*. En Espagne, le début de la guerre civile et la mort de son ami Lorca marqueront sa prise de conscience politique. Autour des revues *Cruz y Raya* à laquelle il collabore et *Caballo verde para la poesía* qu'il dirige, se groupent tous les écrivains espagnols. L'action de Neruda en faveur des républicains lui vaut d'être révoqué de ses fonctions. Il se rend alors à Paris, édite *España en el corazón* (préface d'Aragon), fonde le Groupe hispano-américain d'aide à l'Espagne avec César Vallejo, qui partagera avec Neruda une hégémonie intellectuelle sur deux générations d'écrivains hispano-américains. De 1938 à 1940 il s'occupe des réfugiés espagnols auxquels le Chili offre asile. Après un consulat à Mexico, et un voyage à Cuba, il est élu, en 1945, sénateur sur la liste du Parti communiste. L'année suivante, son discours célèbre : *Yo acuso* détermine le président Gonzalez Videla à ordonner son arrestation. Neruda se cache dans les montagnes et continue à travailler à l'une de ses œuvres capitales, le *Canto general*, commencée en 1940. En 1949, il quitte clandestinement le Chili, traversant la Cordillère des Andes. La même année il assiste à Paris au Ier Congrès mondial des Partisans de la Paix. Puis, voyages divers en Union Soviétique, en Pologne, Hongrie, Italie, aux Indes (pour rencontrer Nehru). 22 novembre 1950, Prix International de la Paix pour *Que despierte el leñador*. La même année, on édite à Mexico le *Canto general*. 1952, il réside en Italie et travaille à *Las uvas y el viento*. En août, il peut enfin rentrer au Chili, son ordre d'arrestation ayant été annulé. Il travaille aux *Odas elementales*. Décembre 1953, il reçoit le Prix Lénine de la Paix. En 1955, il épouse Matilde Urrutia, fait de nouveaux voyages en France, Italie, Chine, etc. 1958, il participe activement à la campagne électorale comme il le fera pour celle de 1964. 1959 est l'année de la publication de *Cien sonetos de amor* dédiés à Matilde Urrutia. En 1960, à bord du *Louis-Lumière* qui le mène en Europe, il termine *Canción de gesta*. 1962, U.R.S.S., Bulgarie, Italie. 1964, dans sa retraite d'Isla Negra, au bord du Pacifique, il travaille au *Memorial de Isla Negra*. 1965, voyage en Hongrie. Il écrit *Comiendo en Hungría*, en collaboration avec Asturias. La même année, il est, en U.R.S.S., membre du jury qui remettra le Prix Lénine à Alberti. En 1967, il assiste au Congrès des Écrivains soviétiques à Moscou et publie son unique pièce de théâtre : *Fulgor y muerte de Joaquín Murieta*. Au cours des années 1968-1969, il prend intensément part à la préparation d'une union des Partis de gauche. Pressenti pour la candidature à la Présidence, il refusera au bénéfice du futur président élu : Salvador Allende. L'une des premières mesures du nouveau Gouvernement d'Union Populaire sera, en mars 1971, de le nommer ambassadeur à Paris. Cette même année, le 21 octobre, l'Académie Royale de Suède lui décerne le Prix Nobel de littérature. Pablo Neruda est mort en septembre 1973, après saccage de ses maisons de Valparaiso et Santiago, au moment du putsch du général Pinochet.

Œuvres publiées en espagnol

1923 *Crepusculario* (Claridad, Santiago).
1924 *Veinte poemas de amor y una canción desesperada* (Nascimento, Santiago).

1926 *Tentativa del hombre infinito* (Nascimento).
El habitante y su esperanza, roman (Nascimento).
Anillos. Proses de Pablo Neruda et de Tomás Lago (Nascimento).
1933 *El hondero entusiasta* (Empresa Letras, Santiago).
Residencia en la tierra. 1925-1931 (Nascimento).
1947 *Tercera residencia. 1935-1945* (Losada, Buenos Aires).
1950 *Canto general* (Mexico).
1952 *Los versos del capitán* (Naples).
1954 *Las uvas y el viento* (Nascimento).
Odas elementales (Losada).
1955 *Viajes* (Nascimento).
1956 *Nuevas odas elementales* (Losada).
1957 *Tercer libro de las odas* (Losada).
1958 *Estravagario* (Losada).
1959 *Navegaciones y regresos*, quatrième volume des *Odas elementales* (Losada).
1960 *Cien sonetos de amor* (édition définitive, Losada).
Canción de gesta (Casa de las Américas, La Havane).
1961 *Las piedras de Chile* (Losada).
Cantos ceremoniales (Losada).
1962 *Plenos poderes* (Losada).
Comiendo en Hungría.
1964 *Memorial de Isla Negra*, quatre volumes (Losada).
1966 *Arte de pájaros* (Santiago).
Una casa en la arena (Barcelone).
1967 *Fulgor y muerte de Joaquín Murieta*, théâtre (Ziz-Zag, Santiago).
La Barcarola (Losada).
1968 *Las Manos del Día* (Losada).
1969 *Aún* (Nascimento).
Fin de Mundo (Losada).
1970 *La Espada Encendida* (Losada).
Las Piedras del Cielo (Losada).
Troisième édition des *Obras completas*, en deux volumes (Losada).

Œuvres traduites en français

1938 *L'Espagne au cœur.* Traduction de Louis Parrot. Préface d'Aragon (Denoël).

1948 *Trois poèmes.* Texte espagnol et traduction de Jean Garamond (G.L.M.). Ces poèmes sont extraits de *Résidence sur la terre.*

1950-1954 *Le Chant général.* Traduction d'Alice Ahrweiler (E.F.R., 3 volumes). Repris en un volume en 1954 avec des illustrations de Fernand Léger.

1954 Choix de poèmes dans *Pablo Neruda* par Jean Marcenac (Seghers, « Poètes d'aujourd'hui »).

Tout l'amour. Anthologie. Texte espagnol et traduction française d'Alice Ahrweiler-Gascar (Seghers). Nouvelle édition en 1961 avec une préface de l'auteur.

1961 *Toros.* Texte espagnol et traduction de Jean Marcenac. Avec quinze lavis de Pablo Picasso (Au Vent d'Arles).

1965 *La Centaine d'amour.* Texte espagnol et traduction de Jean Marcenac et André Bonhomme (Club des amis du livre progressiste).

1969 *Splendeur et mort de Joaquin Murieta* (théâtre). Traduction de Guy Suarès (Gallimard).

Résidence sur la terre. Traduction de Guy Suarès (Gallimard).

1970 *Vingt poèmes d'amour et une chanson désespérée.* Traduction de Jean Marcenac et André Bonhomme (E.F.R.).

Mémorial de l'Ile Noire. Traduction de Claude Couffon (Gallimard).

Vaguedivague. Traduction de Guy Suarès (Gallimard).

1971 *L'Épée de flammes.* Traduction de Claude Couffon (Gallimard).

1972 *Les pierres du ciel. Les pierres du Chili.* Traduction de Claude Couffon (Gallimard).

1972 *Résidence sur la terre.* Traduction de Guy Suarès (Gallimard).

1974 *Odes élémentaires.* Traduction de Jean-Francis Reille (Gallimard).

TABLE

RÉSIDENCE SUR LA TERRE, II
(1931-1935)

TROISIÈME RÉSIDENCE
(1935-1945)

Le domaine hispanique
dans Poésie/Gallimard

Miguel Angel Asturias. *Poèmes indiens (Messages indiens. Claireveillée de printemps. Le Grand Diseur)*. Préface de Claude Couffon. Traduction de Claude Couffon et René-L.-F. Durand.

Jorge Luis Borges. *Œuvre poétique 1925-1965*. Préface et traduction d'Ibarra.

Federico García Lorca. *Poésies I : Livre de poèmes. Mon village. Impressions et paysages* (extraits). Traduction d'André Belamich et Claude Couffon.

Federico García Lorca. *Poésies II : Chansons. Poème du Cante Jondo. Romancero gitan*. Préface de Jean Cassou. Traduction d'André Belamich, Pierre Darmangeat, Jules Supervielle et Jean Prévost.

Federico García Lorca. *Poésies III : Poète à New York. Chant funèbre pour I. S. Mejías. Divan du Tamarit* et autres textes. Préface d'André Belamich. Traduction d'André Belamich, Pierre Darmangeat, Claude Couffon et Bernard Sesé.

Federico García Lorca. *Poésies IV : Suites. Sonnets de l'amour obscur*. Préface et traduction d'André Belamich.

Jean de la Croix. *Nuit obscure. Cantique spirituel* et autres poèmes. Préface de José Ángel Valente. Traduction nouvelle de Jacques Ancet. Édition bilingue.

Antonio Machado. *Champs de Castille* précédé de *Solitudes, Galeries et autres poèmes* et suivi de *Poésies de la guerre*. Préface de Claude Esteban. Traduction de Sylvie Léger et Bernard Sesé.

Pablo Neruda. *Résidence sur la terre*. Préface de Julio Cortázar. Traduction de Guy Suarès.

Pablo Neruda. *Mémorial de l'Île Noire* suivi de *Encore*. Traduction de Claude Couffon.

Pablo Neruda. *Chant général*. Traduction de Claude Couffon.

Pablo Neruda. *La Centaine d'amour*. Traduction de Jean Marcenac et André Bonhomme. Édition bilingue.

Pablo NERUDA. *Vingt poèmes d'amour et une chanson désespérée* suivi de *Les Vers du capitaine*. Traduction de Claude Couffon et Christian Rinderknecht. Édition bilingue.

Octavio PAZ. *Liberté sur parole (Condition de nuage. Aigle ou Soleil. À la limite du monde. Pierre de Soleil)*. Préface de Claude Roy. Traduction de Jean-Clarence Lambert et Benjamin Péret.

Octavio PAZ. *Versant Est* et autres poèmes (1960-1968). Préface de Claude Esteban. Traduction de Yesé Amory, Claude Esteban, Carmen Figueroa, Roger Munier et Jacques Roubaud.

Octavio PAZ. *Le feu de chaque jour* précédé de *Mise au net* et *D'un mot à l'autre*. Traduction de Claude Esteban, Roger Caillois et Jean-Claude Masson.

José Ángel VALENTE. *Trois leçons de ténèbres* suivi de *Mandorle* et de *L'Éclat*. Préface et traduction de Jacques Ancet.

Ce volume,
le quatre-vingt-troisième de la collection Poésie,
a été achevé d'imprimer sur les presses
de l'imprimerie Bussière à Saint-Amand (Cher),
le 8 avril 1999.
Dépôt légal : avril 1999.
1er dépôt légal dans la collection : avril 1972.
Numéro d'imprimeur : 862.
ISBN 2-07-031883-4./Imprimé en France.

90792